LES ENFANTS DE POSÉIDON

TOME 1

LA MALÉDICTION DES ATLANTES

Livres déjà publiés

- *L'empereur immortel* (série : Phœnix, détective du temps), Éd. du Trécarré (Montréal), 2007.
- *Histoire de gars* (Collection Intime), Éd. du Trécarré (Montréal), 2007.
- *L'énigme du tombeau vide* (série : Phœnix, détective du temps), Éd. Du Trécarré (Montréal), 2006.
- *L'amour dans la balance* (Collection Intime), Éd. du Trécarré (Montréal), 2005.
- *Trop jeune pour toi* (Collection Intime), Éd. du Trécarré (Montréal), 2005.
- *À contre-courant* (Collection Intime), Éd. du Trécarré (Montréal), 2005.
- *Entre elle et lui* (Collection Intime), Éd. du Trécarré (Montréal), 2005.
- *De l'autre côté du miroir* (Collection Intime), Éd. du Trécarré (Montréal), 2005.

Sylvie-Catherine De Vailly

LES ENFANTS DE POSÉIDON

TOME 1

LA MALÉDICTION DES ATLANTES

ÉDITIONS LASEMAINE

LES ÉDITIONS LA SEMAINE
2050, rue de Bleury, bureau 500
Montréal (Québec) H3A 2J5

Éditeur: Claude J. Charron
Éditeur délégué: Claude Leclerc
Directrice des éditions: Annie Tonneau
Directeur artistique: Éric Béland
Coordonnatrice aux éditions: Françoise Bouchard
Concepteur: Dominic Bellemare

Directeur des opérations: Réal Paiement
Superviseure de la production: Lisette Brodeur
Assistants-contremaîtres: Valérie Gariépy, Joanie Pellerin
Mise en pages: Édiscript enr.
Réviseurs-correcteurs: Paul Lafrance, Roger Magini, Luce Langlois,
Sara-Nadine Lanouette
Scanneristes: Patrick Forgues, Éric Lépine, Estelle Siguret

Illustrateur: Volta Création, Sara Pitre-Durocher

Photo: Marie-Claude Hamel
Styliste: Sylvy Plourde

Gouvernement du Québec — Programme du crédit d'impôt pour
l'édition de livres — Gestion SODEC.

Merci à Corinne,
ma sœur, sans laquelle
cette incroyable aventure littéraire
n'aurait pas été possible

« *La légende raconte que les dieux se séparèrent le monde et l'univers et que Poséidon reçut l'île magnifique qu'était l'Atlantide. Après l'avoir embellie d'une majestueuse montagne en son centre et de deux sources d'eau en découlant, l'une chaude et l'autre froide, il y installa ses enfants, qu'il avait eus avec des femmes mortelles [...].* »

Platon, *Le Critias** — *L'Atlantide*

---

* Les mots suivis d'un astérisque renvoient au lexique à la page 219.

PROLOGUE

Journal de bord de Medeline Scilly.
Le quinzième jour de l'an 2079.

    [...] Je suis bien consciente du peu de temps qu'il me reste : quelques heures à peine, et pourtant j'espère toujours qu'ils ne me sépareront pas de toi. Je connais les lois de la Communauté et je sais exactement ce qui va se passer le moment venu, mais il me fait du bien de croire (encore un bref moment) que je vais pouvoir t'aimer et te garder. Je te sens en moi, tu es un garçon, et ma joie de te tenir enfin dans mes bras n'a d'équivalent que la peine que je ressens à l'idée de te perdre. Ton père et moi avons choisi ton prénom, tu seras Loïc. Nous savons que nous te reverrons (un jour prochain), je sens que les choses vont changer. Comment et quand, je ne le sais, mais je suis confiante en l'avenir, je sais qu'un monde meilleur est à venir. Je t'aime, mon fils, et que ta vie soit heureuse.

                    Medeline, ta mère qui t'aime

CHAPITRE 1

— Abrial, réveille-toi, je veux déjeuner !

La fillette secoua énergiquement le garçon, dont elle n'obtenait que des grognements significatifs. Sans pour autant baisser les bras, la jeune Marélie se déplaça sur le côté, pour tenter de le faire rouler hors de sa couche en le poussant de ses pieds. C'est à ce moment précis que le jeune homme ouvrit les yeux, en poussant un rugissement avant de saisir la fillette par les épaules. Marélie jeta un cri aigu avant de se mettre à rire. Abrial la chatouillait et sa jeune sœur était incapable de se soustraire à cette attaque imprévue.

— Arrête, arrête, je n'en peux plus... Arrête...

— Uniquement si tu me jures de ne plus venir me réveiller si tôt...

— Oui, c'est juré... Arrête...

— Tu me dis ça tous les matins, conclut le jeune garçon en relâchant la petite. Alors que me veux-tu encore ?

— J'ai faim !

— Et tu es incapable de te servir seule ?

— J'aime mieux déjeuner avec toi, j'aime pas manger seule...

D'un air candide, Marélie sourit à son frère qui roula des yeux.

— Toi et tes airs... Allez, viens, je vais te préparer des crêpes aux cheveux de mer*...

Souriante, Marélie se leva d'un bond pour serrer Abrial dans ses bras. Elle lui arrivait à la taille et ce fut sans grand effort que le garçon de quinze ans souleva sa jeune sœur de huit ans, pour la prendre contre lui, avec tendresse.

— Est-ce que Vaiata est réveillée ? lui demanda-t-il en se dirigeant vers la cuisine du petit logement qu'ils occupaient.

Marélie le regarda en souriant, toujours solidement accrochée à son cou, les jambes nouées autour de sa taille.

— Tu es fou ! Si tu crois que je vais m'aventurer dans sa chambre... Vas-y, toi...

— Nous allons tenter de la réveiller par un autre moyen, celui de l'estomac... La technique est simple, laisser les effluves de notre succulent petit-déjeuner aller lui chatouiller les sens. Je crois que ça devrait fonctionner.

Marélie sourit, découvrant une rangée de perles ponctuée de petits trous, marquant l'emplacement des trois dernières dents tombées.

— Allez, toi, tu mets la table, ordonna son frère en déposant la fillette, avant de s'activer à la préparation de ses fameuses crêpes.

Une quinzaine de minutes plus tard, alors que la pile de crêpes prenait du volume et que l'appartement se parfumait d'une douce odeur de sucre nuancée de vanille, une adolescente ressemblant énormément à Abrial fit son entrée dans la pièce. Les cheveux en bataille et la lèvre boudeuse, elle se laissa choir sans grande élégance sur une des quatre chaises qui cernaient la table.

— Salut Vaiata, lança sur un ton carillonnant et presque moqueur la jeune Marélie...

L'adolescente lui répondit par une grimace avant de se tourner vers son jumeau.

— Qu'est-ce que tu as fait pour déjeuner, ça sent drôlement bon ?

— Bonjour, chère sœur. Nous avons très bien dormi et nous te remercions de l'intérêt que tu nous portes... répondit Abrial en lui déposant une assiette de crêpes sous le nez.

— Ah, ne commencez pas ce matin, je n'ai pas envie de me fâcher avec vous ! Vous êtes toujours... de si bonne humeur que c'en est exaspérant !

Marélie la regardait, amusée.

— C'est facile d'être de bonne humeur... tu n'as qu'à...

L'adolescente plaqua sa main gauche sur la bouche de sa petite sœur, lui faisant ainsi clairement comprendre de se taire.

— Je ne veux pas le savoir.

— Ça te ferait pourtant du bien, relança la fillette en se dégageant, et à nous aussi !

— Chut ! Mangeons... D'ailleurs, ne dois-tu pas te préparer pour ton entraînement de natation ? questionna la jeune fille pour changer de sujet.

— Oui, mais j'ai encore le temps. Qui m'y conduit ? demanda la fillette en engouffrant un énorme morceau de crêpe.

— Demande à Abrial, c'est lui l'aîné, et moi, je suis occupée !

Le garçon leva ses yeux marine vers sa jumelle, qui possédait le même regard. C'était un des traits communs de la petite famille Cornwall, la couleur si particulière de leurs yeux. Un bleu marine, profond, avec des nuances de jaune, presque couleur miel rayonnant à partir de l'iris. Les trois enfants vivaient dans un petit appartement de l'aile ouest, communément appelée les Eaux Troubles. Cette dénomination venait d'un temps reculé et l'on en avait depuis fort longtemps oublié la signification. Les enfants Cornwall vivaient à trois dans le logis, sous la supervision de Mme Gloguen, leur nounou, qui n'était en réalité qu'un hologramme, c'est-à-dire une image projetée en trois dimensions.

Mᵐᵉ Gloguen n'avait pas d'âge, elle paraissait jeune et ne semblait pas vieillir. Elle ressemblait étrangement à Mary Poppins, vêtements à part. Aussi loin que pouvaient s'en rappeler les enfants, elle avait toujours fait partie de leur vie. Ce n'était pas une mère à proprement parler, puisque aucun lien affectif ne l'unissait aux enfants. Elle ne pouvait même pas les prendre dans ses bras pour les rassurer ni même attacher leurs lacets, elle n'était en fait qu'une éducatrice. Elle faisait partie de la classe des superviseurs, escadrons d'hologrammes programmés pour encadrer la vie de tous les Atlantes. Mᵐᵉ Gloguen voyait à l'éducation, à la distribution des tâches liées à l'entretien du logis et au déroulement des activités en fonction de l'âge de chacun, notamment l'école et les cours. Les enfants étaient regroupés par famille, si possible, et dès qu'ils étaient au moins trois, ils pouvaient disposer d'un petit appartement, dont ils avaient eux-mêmes la charge. C'est ainsi que depuis l'arrivée de Marélie, les Cornwall vivaient ensemble dans l'aile ouest.

Ils n'avaient pas tous cette chance. Beaucoup de leurs amis devaient vivre dans les Communs, où ils ne disposaient que d'une chambrette fort simple. Ils devaient vivre en groupe, manger ensemble et ils ne disposaient que d'une pièce collective pour passer leurs moments libres.

Vaiata répétait souvent qu'elle serait incapable d'y retourner et de revivre ainsi, avec toutes les limites et règlements qui étaient essentiels au bon fonctionnement d'une si grande communauté. Depuis l'arrivée de leur jeune sœur, les Cornwall jouissaient d'une plus grande liberté, même si la superviseuse était omniprésente. Ils avaient au moins le privilège d'avoir leur intimité et leurs effets personnels à leur disposition.

Il est peut-être temps maintenant de vous entretenir de certains aspects de la vie peu ordinaire de ces enfants.

Les enfants Cornwall vivaient comme des milliers d'autres jeunes, dans une immense cité, seuls, sans adultes auprès d'eux. Cette gigantesque ville, magnifique par son architecture et ses couleurs, ne se trouvait nulle part sur nos cartes terrestres, mais elle était connue de notre imaginaire collectif depuis des millénaires. Des auteurs comme Platon, ou encore Jules Verne, l'avaient dépeinte comme une ville fantastique d'une grande beauté. Un lieu inimaginable pour le commun des mortels, un lieu créé par des dieux, par un dieu, Poséidon. Cette mégapole était autrefois connue sous le nom d'Atlantide, île légendaire qui fut engloutie, selon les récits, par les eaux.

L'île s'étendait sur plus de quatre cents kilomètres carrés, et sa géographie était peu ordinaire. Pour permettre aux enfants d'y vivre, la ville était recouverte d'un dôme électrostatique. Pas tout à fait au centre de l'île se dressait une montagne ni trop haute ni trop basse d'où s'écoulaient, par un procédé incompréhensible de ses habitants, deux sources d'eau douce, l'une chaude et l'autre froide. Son architecture fort ancienne était encore usuelle et, dans ses rues et ses venelles pavées de granit rouge, les jeunes habitants de l'île de Poséidon s'affairaient au quotidien.

Des bâtiments de pierre blanche finement sculptée, rehaussés de statues d'animaux mythiques et de dieux anciens, certains oubliés, d'autres inconnus, formaient le paysage urbain.

Un immense édifice central, occupé par les salles de cours et la bibliothèque, était une réalisation artistique digne des plus grands palais et savait charmer ses visiteurs. Au cœur même de l'édifice se dressait un sanctuaire consacré à l'ancien dieu et, selon la légende, propriétaire de l'île, Poséidon. Ce lieu était entouré de colonnes ioniques d'or et d'argent, sur lesquelles étaient gravées les légendes de la fondation de l'île. Ces inscriptions étaient transposées dans une langue inconnue des enfants et enjolivées d'orichalque — ce métal atlante que l'on ne retrouvait nulle part ailleurs et qui était plus précieux que l'or.

Les enfants arrivaient dans l'Atlantide dès les premiers jours suivant leur naissance. Comment ? Personne n'en savait trop rien. Plusieurs histoires extraordinaires couraient sur le sujet. Ce que les jeunes savaient fort bien cependant, c'était que, la journée même de leur 18e anniversaire, ils disparaissaient totalement de la surface de l'île. On n'entendait plus jamais parler d'eux par la suite. Cet état de fait avait quelque chose de funeste et planait sur les plus vieux comme l'ombre d'un charognard attendant sa prochaine victime. Les enfants n'en parlaient jamais entre eux, tellement cet inévitable événement les terrifiait. Le sujet était tabou et la peur, palpable lorsque, par mégarde, quelqu'un en faisait mention.

Pour ces Atlantes, tout ce qui était extérieur et antérieur à l'île faisait partie d'un monde complètement mythologique. Ainsi, toute vie terrestre ne pouvait être appréhendée que par les livres qu'ils avaient le loisir de se procurer à la bibliothèque. Leur monde sous-marin était leur unique horizon.

Autrement dit, la vie des enfants de l'Atlantide ressemblait à celle de tout autre enfant, n'importe où ailleurs, avec la routine quotidienne, les soucis et... les cours. Une vie ponctuée de petites et de grandes joies, d'amitié et de sentiments partagés. La seule différence avec tout autre enfant vivant sur terre était que les Atlantes ignoraient tout du sentiment d'appartenance familiale, ils ne savaient pas ce que cela représentait d'avoir des parents. Ils ignoraient même le principe de la parentalité et le rôle, fort complexe, d'être l'enfant de quelqu'un.

Abrial et Marélie se dirigèrent à pied vers le quartier sud de la cité, là où se trouvaient les débarcadères de plongée de la ville sous-marine. Comme tous les enfants âgés entre deux et dix ans, Marélie devait consacrer chaque jour une heure de son temps à la nage, sous toutes ses formes : plongée en profondeur et en apnée ; natation ; cours de sauvetage sous-marin et apprentissage des espèces marines. Tout Atlante devait savoir se mouvoir dans l'eau aussi bien que sur un sol ferme. C'était une des premières règles de vie de la cité. Règles établies par le fondateur même de l'île, leur père à tous, Poséidon.

Les Atlantes avaient l'incroyable faculté de pouvoir retenir leur respiration une quinzaine de minutes sans éprouver aucune difficulté, même que plusieurs d'entre eux parvenaient à la garder pendant une bonne trentaine. Marélie se débrouillait fort bien à la nage, même si elle n'aimait pas beaucoup cette corvée quotidienne et préférait passer son temps à la bibliothèque, tout comme Abrial. C'est probablement pour cette raison que le frère et la sœur étaient si proches l'un de l'autre.

Vaiata, quant à elle, préférait le sport, elle en faisait toute la matinée, les après-midi étant réservés aux études. Championne dans plusieurs disciplines, le plongeon, la plongée, la nage synchronisée et l'aqualtisme, elle en remportait chaque année depuis quatre ans la glorieuse Palme d'orichalque.

L'aqualtisme se pratiquait dans le fond de l'océan, dans ce que l'on appelait les Zones crépusculaires, c'est-à-dire à plus de cinq cents mètres de profondeur. Ce n'était pas encore les abysses, mais c'était souvent ainsi que les enfants nommaient cette profondeur marine, froide et obscure.

Les participants devaient réussir plusieurs épreuves d'agilité dans un parcours prédéterminé, et cela, en un temps record. Épreuves qui changeaient à chaque compétition. La pression de l'eau avait souvent raison des débutants, qui remontaient les oreilles, les yeux et le nez en sang. Il leur fallait alors passer plusieurs heures allongés dans une étrange caisse, appelée un caisson hyperbare. Ceux et celles qui échouaient cette épreuve avaient le malheureux privilège d'être la risée de leurs semblables pendant un certain temps. On les narguait sur leur mal des profondeurs.

C'était d'ailleurs la raison pour laquelle peu d'enfants participaient à ce genre de tournois, tout au plus une vingtaine, laissant aux meilleurs le privilège de se disputer la victoire. La compétition était féroce entre les aqualtistes, mais un certain code de l'honneur encadrait la discipline et jamais les plongeurs ne cherchaient à se nuire, du moins sans que cela fût prémédité! Les entraînements étaient pris extrêmement au sérieux et, pour rien au monde, un participant n'aurait manqué un exercice, même malade!

Bien que Marélie préférât les études, elle n'en était pas moins habile sur le plan sportif: c'était la seule chose qu'elle semblait partager avec sa sœur aînée. Il n'y avait que dans ces moments d'entraînement que Vaiata se montrait le moindrement intéressée par sa cadette. Abrial lui en faisait souvent le reproche, mais c'était par un haussement d'épaules que la jumelle lui répondait chaque fois avant de lui tourner le dos.

— Pourquoi fais-tu toujours la tête? l'interrogea-t-il un beau matin.

Après plusieurs discussions sur le sujet, Vaiata, sans se retourner, lui avait enfin répondu quelques jours auparavant et après un long moment de silence:

— Nous allons avoir seize ans, Abrial.

— Oui, et alors?

— Et alors? Le temps passe si vite que je ne peux m'empêcher de penser à ce qui va se passer la journée de notre dix-huitième anniversaire...

— Et c'est pour cela que tu es toujours de mauvais poil? Mais c'est dans deux ans, Vaiata!

— Je le sais, idiot! Je ne suis pas stupide... avait-elle répliqué durement avant de rajouter sur un ton plus angoissé: Lorsque je m'arrête à penser à cela, une évidence vient aussitôt s'imposer à mon esprit... que va-t-il advenir de Marélie?

Abrial avait longuement considéré sa sœur qui venait de se retourner pour lui faire face, les yeux larmoyants, son regard marine, troublé.

Le garçon opina de la tête.

— Ah, c'est cela, je comprends maintenant... Tu t'en fais pour elle.

— Elle devra quitter l'appartement et aller vivre dans les Communs...

— Comme bien des enfants, Vaiata, elle ne sera pas seule. Nous ne sommes jamais seuls dans Atlantide!

— Elle n'aura que dix ans!

— Nous en avions sept lorsqu'elle est arrivée et nous nous débrouillions alors très bien. Les enfants sont toujours très bien encadrés. Les plus vieux assument fort bien les responsabilités de tuteur qui nous échoient à tous, dès nos quatorze ans.

— Oui, je sais ça, mais nous étions deux. Nous formions un clan nous pouvions compter l'un sur l'autre. Elle, elle sera seule... Nous ne serons plus là pour elle. La séparation sera très difficile, et le changement bouleversant. D'une vie tranquille avec nous deux, dans notre appartement, elle va se retrouver dans les Communs avec des centaines d'autres jeunes, à vivre, manger et dormir dans les mêmes pièces. C'est horrible! Que fera-t-elle sans toi qui la gâtes constamment, qui réponds à tous ses caprices?

Abrial s'approcha de sa sœur:

— Et c'est pour cette raison que tu ne veux pas qu'elle s'attache à toi, c'est pour cela que tu la traites avec autant de détachement? Tu ne veux pas qu'elle s'attache à toi... Je comprends. Je crois que Marélie est assez intelligente pour comprendre la situation, et qu'elle s'y adaptera le moment venu. Honnêtement, Vaiata, est-ce pour elle ou pour toi que tu agis ainsi? T'en fais-tu réellement pour Marélie?

La jeune fille plongea son regard marine dans celui de son frère maintenant à deux pas d'elle, replaçant du même coup une mèche blonde de ses cheveux mi-longs, derrière son oreille. Elle se redressa, visiblement offensée.

— Je trouve cette question vraiment idiote... Tu n'y comprends rien ou es-tu réellement aussi stupide que je le pensais?

Sans lui laisser le temps de répondre, la jeune fille sortit de l'appartement en claquant la porte. Aussitôt Mme Gloguen, l'hologramme, se matérialisa derrière Abrial qui s'apprêtait à rappeler sa jumelle.

— Vous ne devez pas claquer les portes, c'est inconvenant, jeune Abrial.

Le garçon, tournant toujours le dos à la superviseuse, le regard vers la porte close, répondit sur un ton las:

— Je le sais, madame Gloguen, c'est un oubli de Vaiata, je le lui rappellerai...

— Fort bien, jeune homme.

Alors qu'il se remémorait cette récente discussion avec Vaiata, Abrial regardait Marélie évoluer dans l'eau à travers l'un des immenses hublots de la salle de plongée.

La gigantesque pièce percée d'ouvertures possédait un bassin de plongée de la grandeur d'une piscine hors terre qui servait d'accès pour entrer ou sortir de l'île sous-marine. Sur le pourtour de la salle toute en rondeurs s'étalaient des rangées d'estrades qui se remplissaient lors de l'épreuve annuelle de la Palme d'orichalque. Le plus impressionnant de cette salle était la lumière opaline qui l'éclairait, provenant de l'intérieur même du bassin et que l'eau faisait miroiter sur les murs bleu nuit. L'effet était tout simplement magnifique et féerique, surtout quand, à travers les hublots, des bancs de poissons multicolores apparaissaient et disparaissaient.

Sa grâce naturelle donnait beaucoup d'agilité à Marélie, qui se déplaçait comme un poisson. Abrial constatait chaque jour que sa jeune sœur possédait les mêmes capacités que Vaiata en sports aquatiques, bien qu'elle ne désirât pas participer à des épreuves d'aqualtisme.

Marélie s'intéressait à la vie, aux contes anciens et aux belles histoires, et c'est avec passion qu'elle lisait tout ce qu'elle trouvait à la bibliothèque. Elle possédait un esprit rêveur et non pragmatique comme celui de sa sœur.

Marélie est-elle, elle aussi, consciente du temps qui passe? Se détache-t-elle de Vaiata pour les mêmes raisons? s'interrogeait Abrial, en observant sa cadette qui effectuait ses prouesses aquatiques.

Ce fut avec une certaine tristesse que le garçon conclut que sa jumelle avait entièrement raison. Deux années encore et Marélie allait se retrouver seule. Un instant, il se demanda ce qui pouvait bien se passer lorsque sonnait le gong fatidique de leur dix-huitième anniversaire. Où disparaissaient tous ces jeunes adultes? Car il s'agissait bien là de disparition, puisqu'on ne retrouvait jamais leur corps, ni même le moindre indice des lieux où ils allaient. Ils partaient comme ils arrivaient, un beau matin, sans que personne ne sache comment. Que de mystères entouraient les naissances et les départs des enfants de Poséidon! Des questions qui demeuraient toujours sans réponses.

Abrial avait lu, un jour, une histoire concernant le dieu Hercule, enlevé alors qu'il n'était encore qu'un bébé et qui parvint après moult aventures à retrouver ses parents qu'il ne connaissait pas, dont son célèbre père, Zeus, le frère de Poséidon. Une bien belle histoire, se rappela-t-il. Les enfants d'Atlantide avaient-ils eux aussi des parents? Cette notion était totalement inconnue aux habitants de l'île. Poséidon était leur père à tous, et pour la plupart des jeunes, cette idée semblait si abstraite, si improbable...

Abrial en était à ces réflexions quand il entendit de grands éclats de rire annonçant l'arrivée joyeuse de Marélie, qui se jeta en courant dans les bras de son grand frère.

— Tu m'as vue ? lui demanda-t-elle, essoufflée.

— Oui, bien sûr, je suis resté ici durant tout ton entraînement...

— Et alors ? demanda la fillette en ouvrant ses grands yeux marine, les cheveux humides.

— Tu étais fantastique, comme d'habitude. Tu es la meilleure !

— Pas autant que Vaiata, mais quand même...

— Petite prétentieuse ! Allez, nous devons rentrer...

— Oh, non, rechigna-t-elle. Avant, je voudrais aller à la bibliothèque.

Elle le tirait par la main dans la direction opposée.

— Non, pas aujourd'hui, Marélie. Nous devons préparer l'anniversaire de Vaiata. Il ne nous reste que deux jours et nous n'avons encore rien fait.

— C'est aussi ton anniversaire...

— Oui, c'est vrai, mais j'y attache moins d'importance que Vaiata. Elle, si nous l'oublions, nous risquons d'en entendre parler très longtemps, et je passe sous silence l'horrible crise que nous devrons affronter. Un tsunami déferlerait sur les Eaux Troubles !

— Hi, hi, hi! rigolait la gamine. Ouais, ça c'est sûr, ça serait catastrophique! Hésitante, la fillette s'arrêta de marcher pour s'adresser à son frère. Pourquoi est-ce qu'elle est toujours de mauvaise humeur, maintenant? Avant, elle n'était pas comme ça.

Un instant, Abrial observa le joli minois de la fillette, caressant ses cheveux ondulés, d'un même brun que les siens, le temps également de replacer quelques mèches rebelles.

— Je ne le sais pas, peut-être est-ce normal. Vaiata n'est plus une petite fille, elle change et devient une jeune femme...

— C'est tout? Mais c'est nul comme réponse!

Souriant, Abrial conclut en pinçant délicatement le nez de sa petite sœur:

— Peut-être, mais je n'ai que celle-là à t'offrir, désolé petite limande*!

Marélie regardait fixement par la fenêtre de sa chambre en direction du parc des vestiges anciens entretenus de son île, et dont l'accès était interdit aux moins de quatorze ans. Elle rêvait depuis si longtemps de le parcourir, d'en effleurer les statues du bout des doigts, de les examiner en détail. Elle connaissait par cœur leurs histoires, du moins ce qu'on en disait.

Elle savait, pour avoir lu *La Vie des Atlantes*, qu'elle vivait comme tous les autres, sur la légendaire île décrite dans l'ouvrage, que quelques autres îles avaient ultérieurement existé, mais qu'elles avaient toutes disparu. Elle connaissait comme tout le monde la tradition historique qui voulait que Poséidon ait lui-même déposé ses enfants dans l'île. Elle savait que, comme tous les autres aussi, elle était une descendante du dieu de la mer. Pourtant, au fil de ses lectures, elle trouvait que ces histoires fabuleuses étaient invraisemblables. Elle était d'avis qu'une réponse plus réaliste devait sans doute expliquer leur présence en ces lieux.

Elle n'en avait jamais parlé aux autres, excepté à son cher Abrial, mais il lui paraissait inconcevable et irréaliste que cette histoire que l'on contait aux enfants pour les endormir soit la vérité. Elle admettait difficilement qu'elle soit, comme son frère et sa sœur et comme tous leurs amis, mi-humains, mi-dieux. Cette idée lui semblait même totalement burlesque, malgré son jeune âge. Elle en avait quelquefois glissé un mot à son frère, mais chaque fois Abrial lui avait répondu qu'elle était trop jeune pour songer à ce genre de choses, et qu'elle réfléchissait trop.

À ses réponses plutôt évasives, elle en avait déduit qu'il n'en savait rien et qu'il n'avait pas envie de se questionner sur le sujet. Marélie avait déjà tenté d'aborder le sujet avec d'autres jeunes de son âge, mais c'était à son superviseur qu'elle avait eu affaire.

Son maître de classe, M. Buccin, était alors apparu en plein milieu de son plaidoyer et avait, en guise de réponse, envoyé la gamine en retenue pendant deux heures. Comble de malheur, c'était Vaiata qui était venue la chercher cette journée-là, et sa mauvaise humeur en découvrant la punition n'avait eu d'égale que le sermon qu'elle lui avait fait tout le long du chemin de retour. Ce soir-là, Marélie était allée se coucher sans avoir savouré de dessert, ni eu droit à une histoire. Depuis, la fillette gardait pour elle ses opinions.

Descendante de Poséidon, et puis quoi encore Comment se fait-il qu'on ne le voie jamais, ce dieu? Non, non et non, c'est impossible... Je suis certaine qu'il y a une autre explication à notre présence dans l'île. D'où venons-nous? Comment arrive-t-on ici et surtout pourquoi?

Elle avait également tenté d'interroger Mme Gloguen, et l'hologramme lui avait répondu qu'elle n'avait aucune réponse programmée à sa question et par conséquent qu'elle ne pouvait accéder à sa demande.

Personne ne semblait s'interroger comme elle, et cette évidence l'inquiétait sérieusement. Tous évitaient soigneusement la discussion lorsqu'elle soumettait ses interrogations. On la regardait même avec étonnement et incompréhension. La fillette se demandait parfois si elle était la seule à penser ainsi, à refuser l'évidence et ces explications banales qu'on leur servait. Était-elle la seule à posséder un tant soit peu de jugeote ?

La fillette en était à ce questionnement quand elle entendit trois petits coups à sa porte.

— Oui ?

La porte s'entrouvrit sur Vaiata.

— Salut crevette ! Je voulais savoir comment s'était passé ton cours ce matin.

Marélie releva les sourcils en signe d'étonnement.

— Et voilà ! poursuivit Vaiata. On me reproche de ne pas m'intéresser à toi et dès que je m'y emploie tu me dévisages, comme si j'étais tombée sur la tête ! Faudrait savoir !

— Non, non, ne t'emporte pas, Vaiata ! Je suis seulement surprise, c'est tout ! Très bien, mon entraînement s'est très bien passé... Et toi ?

— Super ! Je suis parvenue à descendre jusqu'à cinq cent cinquante-quatre mètres. Le maître-nageur Warin n'en revenait pas. En blaguant, il m'a demandé si j'avais des origines de poisson des profondeurs...

— Quelle question idiote, lorsqu'on sait que nous ignorons tout de nos origines ! lança Marélie soucieuse.

— Hum, hum ! fit Vaiata avant d'ajouter : bon, passons... Viens, je dois me rendre chez Naïs, et tu m'accompagnes...

— Ah non, s'il te plaît...

— Si, tu viens avec moi ! Je n'ai pas envie qu'Abrial me tombe dessus comme la dernière fois, parce que j'avais cédé à ta demande en te laissant seule ici...

— Mais je ne suis pas seule, madame Gloguen est là !

— Tu viens avec moi, un point c'est tout ! Dépêche-toi, je pars dans trente secondes...

Aussitôt, l'adolescente quitta la chambre de sa jeune sœur, sans lui laisser le temps de répondre. En soupirant, Marélie ramassa un gros livre sur les fonds marins et leurs courants qu'elle venait d'emprunter à la bibliothèque, qu'elle connaissait pourtant très bien pour l'avoir lu plusieurs fois. Mais le choix de livres pour son groupe d'âge se limitait aux diversités marines ou aux contes fantastiques.

Marélie connaissait à peu près par cœur tous les livres de la bibliothèque pour les avoir lus à quelques reprises, et le choix sur ses sujets de prédilection était plutôt restreint. Par contre, les livres légers, sans grand intérêt, se trouvaient par dizaines sur les étagères. Il y avait bien d'autres sections dans la bibliothèque, mais elles lui étaient interdites. Elle devait attendre d'avoir quatorze ans pour y accéder. Quatorze ans était l'âge de raison sur Atlantide, et seize ans celui de la maturité. Abrial pouvait y accéder, mais jamais il ne parlait à sa jeune sœur des ouvrages qu'il pouvait consulter. Cela aussi faisait partie des règles de vie de l'île: ne jamais dévoiler aux plus jeunes ce qu'on allait découvrir le temps venu.

Chemin faisant, la jeune Marélie ne cessa d'interroger sa grande sœur.

— Savais-tu qu'avant, s'aventura la gamine, je ne sais pas quand exactement, les gens vivaient hors de l'eau et...

— Ridicule! la coupa Vaiata. Maître Warin nous a appris que nous ne pouvons vivre en dehors de l'eau... Nous ne pourrions respirer...

— Hum! Mais nous respirons bien ici, pourquoi pas ailleurs?

— Tout simplement, petit poisson-perroquet, parce que l'air n'est pas respirable en surface...

La gamine courait presque pour soutenir le pas rapide de sa sœur. Marélie n'était pas très grande pour son âge, mais cela ne semblait pas la déranger.

— Et pourquoi ne pouvons-nous pas remonter jusqu'en surface ? continua-t-elle sur sa lancée. Et qui dit que l'air n'est pas respirable ?

— Oh, toi et tes questions ! s'impatienta Vaiata. Maître Warin nous a dit qu'il était interdit de le faire... C'est tout !

— Mais pourquoi ?

Cette fois-ci, Vaiata s'arrêta net tandis que Marélie, sur sa lancée, fit quelques autres pas avant de revenir vers elle.

— Ooooh, je n'en sais rien moi, et honnê-tement je m'en fous ! lança-t-elle, en levant les bras. Qu'irions-nous faire en surface ? Espèce de crevette grise ! Notre vie est ici, pourquoi toujours chercher ailleurs... Toi et Abrial posez sans arrêt des questions sans réponses. Qu'aurions-nous ailleurs, que nous ne possédons pas déjà, ici ?

— Je ne sais pas moi... répondit la gamine sur un ton penaud.

— Alors cesse tes questions totalement stupides. Nous arrivons chez Naïs, et je ne tiens pas à ce que tu l'embêtes avec tes éternelles idioties. D'ailleurs, tu es bien trop jeune pour te poser ce genre de questions... Que peut comprendre à toutes ces histoires une gamine de huit ans ? Laisse ces questions à d'autres.

CHAPITRE 2

« *Une nuit et un jour suffirent à l'anéantissement de cette Atlantide, dont les plus hauts sommets, Madère, les Açores, les Canaries, les îles du Cap-Vert, émergent encore. Tels étaient ces souvenirs historiques que l'inscription du capitaine Nemo faisait palpiter dans mon esprit. Ainsi donc, conduit par la plus étrange destinée, je foulais du pied l'une des montagnes de ce continent! [...] Je marchais là même où avaient marché les contemporains du premier homme! J'écrasais sous mes lourdes semelles ces squelettes d'animaux des temps fabuleux, que ces arbres, maintenant minéralisés, couvraient autrefois de leur ombre!* »

Abrial relut encore une fois le passage d'*Un continent disparu* dans *Vingt mille lieues sous les mers* de Jules Verne. Il le connaissait par cœur comme plusieurs autres chapitres du livre d'ailleurs et, chaque fois, il en ressentait un trouble étrange. Un mélange de curiosité et d'inquiétude. C'était écrit là, noir sur blanc: l'Atlantide avait autrefois été habitée par des hommes, des animaux et une flore qui n'existaient plus. Qu'avait-il bien pu se passer pour que l'île sombre sous l'océan et qu'avec elle périssent hommes, bêtes et flore? Et si ce conte était vrai, comment expliquer que les enfants aient survécu? Encore ces éternelles questions qui demeuraient obstinément sans réponses!

Le jeune homme tentait par ses lectures de comprendre l'enchaînement des événements jusqu'à ce jour. Il y avait tant de zones grises dans toute cette histoire, tant de trous.

Assis dans l'une des sections réservées de la bibliothèque, Abrial caressa de la main la couverture abîmée du vieux roman qu'il considérait presque comme un livre sacré. Il avait exploré les rayons des centaines de fois à la recherche de réponses à toutes les questions qui sans cesse l'assaillaient. Il sourit en repensant à Marélie, à l'évidence sa jeune sœur s'interrogeait également sur leurs origines. Elle était si curieuse. Cependant, il ne l'entretenait jamais de ses propres inquiétudes ni de ses lectures, ne souhaitant pas soulever chez elle plus d'interrogations encore. Le livre de Jules Verne faisait partie des ouvrages interdits aux moins de quatorze ans. Il était classé dans la section des récits fantastiques et de science-fiction, et Abrial concédait que l'auteur avait une grande imagination. Cette réflexion en entraîna une autre chez lui. Qui était ce Jules Verne?

Mme Crestina, la superviseuse bibliothécaire, lui avait répondu, un jour qu'il la questionnait sur la provenance des livres et sur leurs auteurs, que tout ce qui se trouvait dans la bibliothèque provenait des autres îles disparues. Cette réponse bien vague servait à étouffer toute question relative à une vie antérieure ou extérieure à l'Atlantide. Toutes les interrogations concernant l'avant-Atlantide étaient ainsi écartées, mettant du même coup un terme à toutes les discussions sur le sujet. Mais Abrial était bien trop têtu et trop curieux pour se satisfaire de si peu. Il espérait trouver des réponses à ses trop nombreuses interrogations dans les livres, avant d'en parler à quiconque.

Marélie est bien trop jeune pour ce genre de questionnement, si moi je n'y comprends rien, comment une fillette le pourrait-elle? Et d'un autre côté, si une gamine de huit ans s'interroge sur ces inepties, c'est que, effectivement, ces histoires ne tiennent pas debout.

— Jeune Cornwall, il se fait tard, vous devriez rentrer chez vous! La bibliothèque ferme ses portes, lança d'une voix synthétisée, mais un brin féline, la superviseuse-bibliothécaire qui venait d'apparaître à ses côtés.

Mme Crestina était grande, brune, continuellement vêtue d'un tailleur noir et elle portait en permanence de petites lunettes de lecture, tenant par miracle sur le bout de son minuscule nez. Une bien belle femme que cette Mme Crestina... même si elle n'était qu'un hologramme!

L'apparition soudaine de la superviseuse le fit sursauter et pendant un instant, il l'observa attentivement.

— Madame Crestina... Toujours là pour nous rappeler à l'ordre et pour veiller sur vos trésors, dit-il en désignant de la main les livres qui les entouraient.

— C'est mon rôle, jeune Abrial. Allez, partez maintenant, il se fait tard.

— Et de qui tenez-vous votre rôle et les fonctions qui s'y rattachent? demanda-t-il tout de go, en sachant fort bien qu'il n'obtiendrait aucune réponse.

— Je ne suis pas programmée pour répondre à cette question, jeune Cornwall. Vous êtes toujours si curieux, tout comme votre jeune sœur, d'ailleurs. Vous devriez vous contenter des réponses que nous vous donnons et non chercher l'impossible.

Le jeune homme se leva lentement de son fauteuil puis se dirigea vers une étagère pour y replacer son précieux livre. Lentement, il fit face à la superviseuse:

— Oui, tout comme Marélie, la vérité m'attire! Bonsoir madame Crestina, je pars puisqu'il se fait tard. Je ne vous souhaite pas une bonne soirée, puisque vous n'êtes qu'un hologramme et que vous n'avez pas de vie ailleurs qu'entre ces murs... Ailleurs... Ce mot est tellement chargé d'espoir! murmura-t-il pour lui-même.

La fête était prévue en fin d'après-midi et tout était fin prêt, il ne manquait que les invités. Marélie était excitée, car rares étaient les occasions de réunir des amis à la maison. Cette fois-ci, tout serait parfait. Elle et Abrial avaient décoré le salon de coraux, de lys de mer, d'anémones multicolores et de coquillages fabuleux, dont cet énorme bénitier* qui servait à contenir les boissons. Dans un immense aquarium était exposé une fabuleuse variété d'étoiles de mer, certaines colorées, d'autres impressionnantes par leurs multiples branches.

Le repas présenté sous forme de buffet offrait crustacés, poissons et algues finement et délicieusement apprêtés, et en abondance. Abrial avait confectionné avec Marélie un énorme gâteau fait d'agar-agar*, de farine de criste-marine*, aromatisé de sucre d'algue à la saveur douce et délicate, légèrement parfumé d'anis, un vrai délice qui avait fait sa réputation depuis longtemps.

Abrial était un excellent cuisinier, c'est d'ailleurs lui qui préparait les repas pour toute la petite famille. Il fallait goûter à sa salade aux douze algues, à ses algues frites, à ses hamburgers de varech*, à sa confiture en gelée d'algues et à sa salade aux croûtons de mer, sans oublier ses délicieux sashimis*.

Vaiata, pour sa part, refusait obstinément de mettre les pieds dans la cuisine. Abrial et Marélie ignoraient pourquoi, d'ailleurs ils ne s'interrogeaient pas vraiment sur les raisons et les motivations de leur sœur, qui ne semblait jamais vouloir faire les choses comme il se doit.

Les premiers invités arrivèrent et bientôt la table du salon se couvrit de cadeaux joliment enrubannés pour les jumeaux. Vaiata était très jolie, avec ses cheveux blonds parsemés de perles et de billes de nacre qui s'irisaient à la lumière, et ô miracle! elle souriait à tous. Pourtant, Abrial percevait bien un fond de tristesse dans ses yeux marine, et maintenant il en connaissait la cause.

Bien que sa sœur fût heureuse de fêter leur anniversaire avec ses amis, il savait qu'elle devait également songer avec tristesse au temps qui filait, inexorablement. Marélie, de son côté, ne semblait pas se soucier de cette éventualité encore si lointaine, elle riait et faisait le pitre, s'amusant comme une petite folle. Abrial surprit plusieurs fois Vaiata en train de la regarder, le regard absent. Il s'approcha d'elle avec discrétion pour murmurer :

— Il nous reste deux ans, chère sœur, pourquoi ne pas en profiter pleinement avec Marélie, plutôt que de pleurer sur ce qui va inévitablement se passer ? De toute façon, que pouvons-nous y faire ?

Vaiata lui fit face, les yeux embués, et lui répondit avec gravité :

— Partir !

Abrial ouvrit de grands yeux ronds, abasourdi par ce qu'elle venait de dire. Il allait répondre, l'interroger, lui poser mille et une questions, oubliant même la présence de leurs invités quand la voix féline de Naïs leur cria :

— Allez vous deux, ne nous faites plus attendre, ouvrez vos cadeaux...

— Les cadeaux, les cadeaux, les cadeaux... entonnèrent à l'unisson la dizaine d'invités présents.

Vaiata sourit à la ronde avant de lancer tout bas à son frère :

— Nous en reparlerons plus tard, veux-tu ? Pour l'instant, nous avons nos anniversaires à célébrer, comme tu viens de le suggérer. Passons une agréable soirée !

Pour faire durer le plaisir, ils ouvrirent un cadeau à la fois, à tour de rôle. Vaiata reçut un magnifique coffret de bois noir, fort ancien, que Naïs lui assura être allée chercher elle-même dans une épave datant d'il y a fort, fort longtemps. Sur le couvercle s'entrecroisait, dans un filet d'or, un drôle d'animal déployant des membres qui ressemblaient à des nageoires, mais qui n'en étaient pas, et des feuilles d'une espèce inconnue des Atlantes. La représentation ne leur disait absolument rien sur la signification du blason, mais celui-ci était magnifique, et c'était là toute l'importance qu'ils lui accordaient.

Les Atlantes ignoraient que cette magnifique boîte d'ébène, qui servait autrefois à ranger des documents, provenait d'un trois-mâts espagnol coulé plusieurs centaines d'années auparavant. D'ailleurs, peu leur importait de connaître ce genre de détail.

Abrial reçut des binocles en étain provenant de la même épave. Il les essaya, ce qui fit beaucoup rire l'assistance. L'origine de ces présents, bien que magnifiques, s'ajouta à la longue liste de questions d'Abrial.

Le garçon s'étonnait toujours de voir que les enfants de l'Atlantide collectionnaient ces objets parfois si étranges, sans jamais s'interroger sur leur utilité et leur provenance. Comme s'il était tout à fait normal de trouver dans le fond des océans des épaves de bateaux. Pourtant, bon nombre d'entre eux savaient fort bien que les bateaux étaient faits pour voguer sur les mers. Encore une question qui s'ajoutait à sa collection. Il entendait déjà la réponse de Mme Crestina: « Ces objets proviennent d'anciennes îles, aujourd'hui disparues. »

Abrial chassa cette pensée pour en revenir à la fête, mais une autre idée s'imposa aussitôt. N'avait-il pas découvert, un instant plus tôt et avec surprise, un intérêt soudain pour sa jumelle sur leur existence dans l'île et pour toutes les questions en relevant? Le fait qu'elle lui ait dit qu'elle souhaitait partir, ce tout petit mot, dévoilait tout un cheminement de pensée, une évaluation et un questionnement sur leur situation. Lui proposer de partir signifiait qu'elle s'interrogeait également sur leurs origines communes et sur cette évidence: on leur cachait la vérité. Pourtant, jamais au grand jamais, Vaiata n'avait fait mention devant lui de ses inquiétudes et de ses interrogations. Abrial ne souhaitait plus qu'une chose, que la fête se terminât au plus vite, pour avoir une franche discussion avec sa chère sœur.

— À ton tour, Abrial! Ça fait déjà trois cadeaux que Vaiata ouvre, tu te fais doubler! Il n'en restera plus pour toi, lança dans un éclat de rire Âvdèl, un ami d'enfance du jeune homme, qui lui tendait un paquet emballé dans un papier brun froissé et retenu par une ficelle nouée.

Abrial saisit le présent en répondant à son copain par un sourire.

— De toute façon, c'est toujours Vaiata qui prend tout! ajouta-t-il, en déchirant le papier avec empressement pour découvrir un livre, mince, de quelques pages seulement, tandis que sa jumelle lui répondait par une grimace et que les autres s'esclaffaient bruyamment. Abrial riait également, quand ses yeux se portèrent enfin sur le titre: *Mythes et légendes des mondes terrestres.*

— Tiens, je n'ai jamais vu ce livre auparavant, qui me l'offre? demanda-t-il en levant les yeux vers ses amis. Mais personne ne répondit. Bon allez, quoi! Pourquoi faire tant de mystère?

De nouveau, un lourd silence vint se glisser dans l'assistance, aucun des invités ne se manifesta et tous se dévisagèrent avec curiosité.

— Bon, ça va, la blague a assez duré! Qui m'offre ce livre? s'impatienta Abrial.

— Je pense, lança Océane, une amie de Vaiata, une grande brunette aux yeux turquoise ayant toujours l'air étonné, que ce cadeau ne vient pas de nous... D'ailleurs, quand on y pense bien, qui de nous t'offrirait un tel bouquin ? Il a l'air si... ordinaire !

Océane avait raison, aucun de leurs amis n'aurait eu l'idée d'offrir un livre aussi peu captivant et à la présentation aussi austère. Aussi banale. Abrial dévisagea sa jumelle qui lui fit un signe négatif de la tête pour lui faire comprendre que le présent ne venait pas d'elle non plus. Marélie fit de même, tout en cherchant à prendre le livre des mains de son frère, pour y jeter un coup d'œil.

Le jeune homme fronça les sourcils face à l'assistance qui commençait à murmurer. L'ambiance était plombée. Pour ne pas prolonger le malaise, Abrial se leva et proposa de manger le gâteau. Cette offre gourmande fut bruyamment accueillie par les invités, qui se précipitèrent comme une seule vague vers la table où trônait, en maître, le gâteau d'anniversaire des jumeaux. Tandis que tout le monde se servait dans la joie et la bonne humeur, Vaiata, l'air interrogateur, s'approcha de son frère, mais celui-ci, pour ne pas gâcher le moment et pour ne pas recréer de malaise, sourit avant de lui dire :

— Nous en reparlerons plus tard, veux-tu ? Ce n'est pas le moment, et puis, j'allais presque oublier ton cadeau.

Aussitôt le garçon s'élança vers sa chambre pour en ressortir après quelques secondes avec un paquet gauchement emballé. Il le tenait par le haut, précisant à Vaiata qu'elle devait également le prendre de cette façon. Elle effeuilla une à une, sous le regard curieux de ses amis, les feuilles de papier qui le couvraient pour voir aussitôt deux petits yeux noirs qui la fixaient attentivement et avec autant de curiosité qu'elle. La tête de l'animal apparaissait à travers des voiles rouges qui se mouvaient autour de lui et qui formaient des espèces de feuilles servant à l'animal à se camoufler.

— Oooh! s'exclama Vaiata sous le regard admiratif de ses convives. Un dragon hippocampe... Il est magnifique, oh! Abrial, merci, c'est fantastique... C'est exactement ce que je voulais! Mais où l'as-tu trouvé?

— Je ne vais pas te dévoiler mes secrets. Bon anniversaire, sœurette!

Vaiata embrassa tendrement son frère sur la joue.

— Moi aussi, moi aussi, s'écria Marélie, c'est mon cadeau que je t'offre, précisa-t-elle en tirant sur la robe de Vaiata, qui la prit aussitôt dans ses bras pour lui faire un énorme câlin.

Le gâteau fit sensation et tous semblaient d'excellente humeur. Vaiata regardait avec satisfaction ses amis, heureuse de sa soirée, lorsque ses yeux rencontrèrent ceux de Coralie qui, elle, regardait fixement les restes du gâteau d'anniversaire, l'air absent.

— Je sais pourquoi tu es triste, murmura Vaiata, en se penchant vers la jeune fille pour la saisir par les épaules avec tendresse.

— Dans quelques jours, c'est le mien! Si tu savais à quel point j'ai peur, Vaiata. L'angoisse est si forte qu'elle m'étrangle... chuchota Coralie, la voix imprégnée d'un mélange de tristesse et d'appréhension.

— Je comprends! Je crois que tout le monde ici te comprend, car nous vieillissons tous. Le temps nous est également compté. Je ne sais quoi te dire pour te rassurer, Coralie, simplement, je ne crois pas que nous disparaissions de la surface d'Atlantide... disons... inutilement...

Coralie fronça les sourcils, se demandant ce qu'elle devait comprendre.

— Je crois, poursuivit Vaiata, la voix hésitante, que nous partons tout simplement ailleurs, pour un autre monde et que notre vie se poursuit, tout simplement... C'est impossible que ça se termine comme ça. Tu verras, nous nous reverrons. J'en suis certaine.

La magnifique jeune fille aux yeux en amande d'un vert profond, et aux longs cheveux blonds, esquissa un pâle sourire.

— J'aimerais tellement te croire, Vaiata. Si seulement tu disais vrai, cela me donnerait au moins la force d'affronter mon dix-huitième anniversaire. Et ça me rassurerait pour Maia et Adria.

— N'aie aucune crainte pour elles, nous veillerons sur elles, comme nous le faisons pour Marélie.

Les deux jeunes femmes se serrèrent tendrement sous le regard attristé d'Abrial et des autres, qui comprenaient sans rien avoir entendu de quoi il était question. La peur de voir arriver le jour de leur dix-huitième anniversaire terrorisait tout le monde, même les plus intrépides.

La fête se prolongea jusqu'en soirée et ce fut l'apparition de Mme Gloguen qui y mit fin, sous les protestations générales. L'heure du couvre-feu allait bientôt sonner.

Marélie dormait déjà dans un coin depuis longtemps et Abrial la souleva délicatement pour aller la déposer dans son lit, après avoir salué ses derniers invités. Il l'embrassa sur la joue, tout en lui murmurant de passer une bonne nuit, quand la fillette, à moitié endormie, passa ses petits bras minces autour de son cou.

— C'était génial comme anniversaire, hein ? On s'est bien amusés...

— Oui, c'était parfait ma petite sirène, mais maintenant tu dois dormir.

Il revint aussitôt après dans le salon pour reprendre le livre mystérieux qu'il venait de recevoir et qu'il avait déposé en lieu sûr. Il avait attendu cet instant toute la soirée. Vaiata vint le rejoindre après avoir été, à son tour, embrasser et border Marélie.

— Tu ne vois pas qui aurait pu t'offrir ce livre ? lui demanda-t-elle, en désignant du menton le bouquin et en prenant place à ses côtés.

— Je n'en ai pas la moindre idée et plusieurs choses me turlupinent. Premièrement, comment s'est-il retrouvé parmi tous les autres cadeaux si personne ne l'a apporté avec lui ? Et puis, je n'ai encore jamais vu ce livre auparavant, pourtant je connais tous ceux de la bibliothèque où se trouve l'ensemble des ouvrages de cette île. D'où vient-il ? Qui me l'a offert ?

— *Mythes et légendes des mondes terrestres*, encore un livre de fables pour enfants sages ! soupira Vaiata.

— Peut-être, peut-être... Mais ça ne me donne pas cette impression. Le titre et surtout sa présentation semblent si sérieux. Regarde s'il a l'air austère avec cette couverture de cuir et ses lettres d'or. On dirait plutôt un vieux livre d'histoire.

Abrial ouvrit le livre sur la page de garde pour vérifier si elle ne contenait pas d'annotation ou de marque quelconque. Mais rien. Le bouquin, malgré son apparence ancienne, arborait un intérieur plutôt neuf. Il ne semblait pas avoir été lu, ni même parcouru auparavant. Les pages lisses ne montraient ni pliure ni marque d'utilisation. Il le feuilleta au hasard, lorsqu'il tomba soudainement sur un feuillet plié en deux. Vaiata s'en empara avant lui, plus curieuse encore que son frère. Elle le fixa une seconde, avant de le déplier et de lire à mi-voix: « *Continuez de chercher la vérité !* »

CHAPITRE 3

— « *Continuez de chercher la vérité* » ? Crois-tu que ce mot s'adresse à nous ? demanda Vaiata à son frère, qui venait de lui reprendre le billet des mains pour l'examiner attentivement, l'air soucieux. Il posa ses yeux marine sur elle, un tantinet lointain.

— Je n'en sais rien... laissa-t-il enfin tomber. D'abord, je reçois ce livre sans savoir qui me l'envoie, ni même comment il a pu être déposé à la maison, ensuite ce mot d'encouragement venant s'ajouter à toute cette série de questions qui me préoccupe depuis des semaines. Comment ne pas s'interroger sur les intentions de ce mystérieux expéditeur ? Oui, je pense que cette note nous est destinée. On nous invite à poursuivre nos recherches, donc à nous interroger et à pousser plus loin encore notre raisonnement. Intéressant !

— Mais qui ? Qui nous envoie ce livre et pourquoi ? s'étonna Vaiata.

— Je n'en sais rien et je pense que la réponse est plus importante que ce que nous pouvons imaginer. Je ne vois pas qui, autour de nous, aurait le sérieux et la gravité de monter un tel canular en utilisant ce genre de livre et en employant de tels mots. Cela semble si important...

— Tu as certainement raison. Ce genre de mise en scène, si l'on peut appeler cela ainsi, ne ressemble à personne de notre entourage.

— Quel mystère!... Et puis, toi... tout à l'heure, qui me suggères de partir! Et partir où d'ailleurs? Explique-toi!

Vaiata jouait machinalement avec une boucle blonde de ses cheveux, l'air songeur, comme si elle cherchait les mots exacts pour répondre.

— Tu sais, ce n'est pas parce que je ne parle pas, comme toi, de ce qui me turlupine, que je n'y pense pas. Marélie et toi passez le plus clair de votre temps à tenter de découvrir des indices pour expliquer notre présence ici, et encore plus, pour nous dire ce qui se passe la nuit, quand un jeune atteint ses dix-huit ans. Le plus drôle, c'est que Marélie et toi pensez être les seuls à vous interroger sur le sujet, alors que d'autres se font les mêmes réflexions. Et, à bien y penser, nous ne sommes sûrement pas les premiers. Ça fait longtemps que je m'interroge également. Moi aussi, j'ai des doutes sur notre présence ici, dans l'Atlantide. Les livres que tu ramènes à la maison, je les lis également, ainsi que ceux de Marélie. Bien que là-dessus notre jeune sœur ait une vision fantasmagorique des choses plutôt qu'une volonté de formuler des hypothèses.

— Normal, elle n'a que huit ans ! répliqua Abrial. Mais je dois avouer qu'elle fait preuve d'un bon esprit d'analyse et de beaucoup de perspicacité...

Vaiata opina de la tête, en accord avec son frère, un léger sourire aux lèvres.

— Mais toi, poursuivit Abrial, d'où t'est venue l'idée de partir, et d'ailleurs, partir où ?

— Ouais, je dois avouer que l'idée est complètement folle, mais ô combien séduisante ! Pour être franche, je n'en sais rien, c'est sorti comme ça, spontanément, sans y avoir réfléchi. Mais, je ne vois pas très bien comment nous pourrions nous enfuir. Nous vivons au milieu de l'océan et nos superviseurs nous ont toujours répété que l'Atlantide était le seul lieu habitable. Elle a été spécialement conçue pour nous accueillir, nous, les enfants de Poséidon...

Vaiata avait prononcé cette dernière phrase sur un ton ironique.

— Tout comme moi, tu crois que cette version fait un peu trop « fable » et que toutes ces histoires de dieux et d'enfants sont un peu tirées par les cheveux, c'est ça ?

— Exactement! J'ai beaucoup de mal à accepter cette explication, disons, trop simpliste...

— Tout comme Marélie et moi...

— Audric, Naïs et Âvdèl pensent également ainsi, même s'ils refusent de pousser plus loin le raisonnement. Toutefois, Audric semble plus ouvert sur la question. Chaque fois que j'ai tenté d'aborder le sujet, ils deviennent tous nerveux et mal à l'aise, comme si l'idée même qu'on nous raconte des histoires les terrifiait.

— Il y a de quoi! s'exclama Abrial. Imagine un instant que nous soyons l'objet d'une immense machination. Qu'adviendrait-il de nos croyances et de nos vies, de ce à quoi nous avons toujours cru? Si tout ce que représente notre vie depuis notre naissance était faux, vers quoi nous tournerions-nous?

Les jumeaux se turent de longues minutes, ébranlés par cette perspective. Vaiata jouait plus nerveusement avec sa mèche de cheveux, elle la faisait rouler inlassablement autour de son index, de plus en plus rapidement. Aucun des deux n'osait parler, ne sachant trop s'ils devaient emprunter le chemin qui se dessinait devant eux et qui les conduirait vers l'inconnu, ou s'ils devaient taire leurs doutes. Faisaient-ils fausse route? Leur trop grande imagination n'était-elle pas en train de les mener en bateau? Peut-être voyaient-ils des conspirations là où il n'y en avait pas ! Vaiata se redressa.

— Peut-être que nous nous dirigeons tout droit vers la catastrophe, mais il n'y a qu'un seul moyen de le savoir : c'est en allant jusqu'au bout, proposa-t-elle en brisant le silence. Si nous n'étions que deux à penser ainsi, je te dirais que c'est du délire et que nous avons une imagination débordante, mais nous ne sommes pas seuls... Que l'on nous berce de contes fabuleux de dieux et de partage de l'univers dans notre enfance, c'est merveilleux, mais en vieillissant toute cette histoire semble moins satisfaisante, parce qu'elle ne répond pas à tout. Elle nous laisse sur notre faim. Il y a de si grands vides dans notre histoire, comment ne pas s'interroger... Je crois que nous devons poursuivre nos recherches et si elles ne nous mènent nulle part, nous saurons alors que la vie est bel est bien telle qu'on nous l'offre. Pour commencer, nous devons lire ce livre. La personne qui nous l'a fait parvenir veut nous faire comprendre certaines choses avec ces contes, à nous de les découvrir. Mettons-nous au travail.

Vaiata et Abrial se levèrent pour se diriger vers la table de la cuisine avec le livre.

— Joli, ce collier. Tu l'as reçu ce soir ? C'est un cadeau d'anniversaire ? remarqua le jeune homme en prenant place.

— Oui, c'est Audric qui me l'a offert, répondit la jeune fille en passant ses longs doigts sur le collier de corail rouge qu'elle portait fièrement.

— Audric?

— Oui, Audric!

Abrial ouvrit de grands yeux surpris, haussa les épaules avant de reporter son attention sur le livre, un demi-sourire accroché aux lèvres.

Les premières pages n'offraient rien de bien particulier, ni d'inhabituel. Abrial se rendit ainsi à la première histoire, lorsqu'il aperçut quelque chose de singulier, en travers de la page, dans la marge intérieure, une note manuscrite, d'une écriture fine et posée, qui disait:

« *Tel Heinrich Schliemann, vous découvrirez les indices l'ayant conduit jusqu'à Troie, la cité légendaire, oubliée des dieux et des hommes.* »

— Mince! je n'ai pas vu cette annotation tout à l'heure, lança Abrial tandis que Vaiata relisait à voix basse la courte inscription. L'écriture est la même que sur la petite note trouvée plus tôt. À l'évidence, c'est un autre indice que l'on nous laisse...

— C'est qui, cet Heinrich Schliemann et c'est quoi, cette Troie? murmura Vaiata.

— Aucune idée, ma chère!

— Encore un autre mystère à élucider! Décidément, la liste s'allonge! C'est décourageant!

Abrial semblait totalement perdu dans ses pensées, il tapotait sa lèvre supérieure du bout de son index, tout en reparcourant des yeux les deux annotations trouvées.

— Nous allons tout reprendre point par point, lança-t-il enfin. Il faut être méthodique si nous voulons comprendre les choses. Le chaos ne révèle jamais rien! En premier lieu, nous allons étudier ce livre, ensuite nous verrons.

— Si tu le dis, lâcha Vaiata dans un soupir traînant. Mais cette démarche me semble bien longue, et dois-je te rappeler que la patience n'est pas ma principale qualité...

— Inutile... Mais tu vas devoir en faire preuve, sœurette. En attendant, commençons par lire la première chronique, qui prend des tournures poétiques, nous verrons par la suite. Regarde, elle n'est pas longue, quelques lignes...

— Dis donc, avant de commencer, une idée vient de me traverser l'esprit: si ce livre n'est rien d'autre qu'un cadeau offert par un ami qui tait son identité, uniquement pour rire et créer des mystères là où il n'y en a pas, c'est une sacrée bonne idée... Jamais cadeau n'aura été si passionnant et excitant!

Abrial fronça les sourcils, songeur devant les paroles de sa sœur.

— Tu as raison. Effectivement, si ce n'est qu'un jeu, le concept est génial... Mais au fond de moi, j'espère bien que ce n'en est pas un. Je préfère l'idée de vivre une aventure que celle de finir un jeu en découvrant en fin de compte deux simples mots : bon anniversaire !

Les jumeaux échangèrent des regards lourds de sous-entendus et d'attente, quand Abrial, dans un demi-sourire, lança :

— Allez, mettons-nous au travail, si nous souhaitons savoir de quoi il retourne exactement. Avons-nous là un canular monté de toutes pièces par des amis ou sommes-nous devant une réelle intrigue ?

Les espoirs perdus

Il fut une ère, celle des hommes. Il fut une planète, appelée Terre. Il fut un monde ancien qui se réfugia dans un monde nouveau. Terra Nova. Il fut une vie, avant qu'elle ne soit détruite. Il fut un paradis, perdu...

Il fut un temps pas si lointain, où Terra Nova offrait encore la vie. Dernier bastion d'une existence paisible, possible. Le continent accueillait les réfugiés des autres terres, par milliers. Les terres de ces inconnus se mouraient, et avec elles, les espoirs. Hommes, femmes et enfants se réunissaient dans l'unité, la seule ayant encore un sens, en cette ère de grandes incertitudes.

Une terre encore épargnée où troubadours, saltimbanques, musiciens et comédiens amusaient la cour et où le visiteur pouvait s'arrêter le temps de retrouver la paix et avec elle l'espérance d'une vie meilleure.

L'immensité de Terra Nova avait permis d'accueillir tellement de gens que bientôt les terres et les eaux devinrent une richesse à sauvegarder, un trésor à protéger. Le mal qui avait décimé les terres pas si lointaines se manifestait dans le Monde Nouveau.

On envoya aux quatre coins de la terre des vaillants pour tenter de trouver une réponse à ce qui semblait encore évitable. Une réponse qui soignerait la vie et redonnerait espoir. Mais les braves ne revinrent jamais.

La rumeur enfla, portant en elle l'annonce d'un fléau : la fin de l'humanité qui se mourait à cause de ses propres choix. Un piège inextricable dans lequel toute vie s'engloutirait, dans lequel l'avenir s'engouffrerait. L'Homme devenait une espèce en danger. La nature, à cause de ces abus, se révoltait et rejetait de son sein ce parasite qui l'assassinait.

Pour contrer l'inévitable, pour sauver son avenir, l'Homme mit en œuvre l'inimaginable. Le début de cette ère nouvelle fut marqué par un événement inoubliable qui demeurera dans les mémoires jusqu'au dernier jour. L'Homme *engendra une île pour la sauvegarde de son avenir.*

Abrial se tut, laissant le temps aux mots de faire leur chemin, dévoilant peut-être leur signification.

— Tu y comprends quelque chose, toi? demanda Vaiata, presque dans un murmure, comme si la lecture de ce texte avait quelque chose de sacré.

Son jumeau la fixa une seconde, en secouant négativement la tête.

— Ça semble si hermétique. Les mots et les phrases sont si alambiqués qu'il peut s'agir de n'importe quoi!

— Évidemment que c'est codé, pourquoi est-ce que ça serait facile? Si la vérité avait été écrite là, noir sur blanc, l'histoire serait terminée! Il faut chercher, espèce de concombre de mer...

— Ne sois pas si impatiente, Vaiata... D'ailleurs, je suis fatigué et mes idées ne sont plus très claires. Il est tard, nous devrions nous coucher, nous avons eu une bonne journée... La vérité peut attendre jusqu'à demain.

Au moment où les deux jeunes se levèrent, ils découvrirent derrière eux la superviseuse qui se tenait là, silencieuse, et qui les observait.

— Oh! madame Gloguen, vous nous avez fait peur! s'écria Vaiata en l'apercevant.

— Que faites-vous là, enfants Cornwall, encore debout à cette heure si tardive, alors que le couvre-feu est depuis longtemps décrété?

L'image projetée en trois dimensions de la nounou se déplaça sur le côté, pour tenter de voir ce qu'Abrial tenait caché dans son dos et qu'il semblait chercher à dissimuler.

— Euh, oui, euh... nous discutions! Oui, c'est ça, nous discutions de la soirée, vraiment bien comme fête... Mais vous avez raison, il est tard et nous allions justement nous coucher, lança le garçon. Bonne nuit, madame Gloguen.

Sans attendre, Vaiata et Abrial disparurent dans leurs chambres respectives, laissant la lumière de l'hologramme éclairer la pièce d'une douce couleur blanchâtre. La superviseuse portait fort bien son nom, puisque *gloguen,* mot d'origine bretonne, veut dire « à la peau brillante et satinée ».

En refermant la porte derrière lui, Abrial laissa échapper un long soupir. Il apprécia le fait que Mme Gloguen, maintenant qu'il avait seize ans, ne pouvait plus entrer dans sa chambre sans y être invitée. Cela faisait partie des droits que les enfants acquéraient en vieillissant.

Pourquoi ressentait-il soudain une désagréable sensation face à la superviseuse qui pourtant s'occupait d'eux depuis leur petite enfance? Avait-elle assisté à leur conversation?

Si c'était le cas, pourquoi ne s'était-elle pas manifestée avant qu'ils s'aperçoivent de sa présence? Abrial eut l'impression que l'attitude de la superviseuse avait quelque chose d'étrange. Il se promit d'en parler le lendemain matin à Vaiata. Devaient-ils mettre Marélie au courant des découvertes qu'ils avaient faites ce soir?

Non! pas tout de suite, pas encore, conclut-il en bâillant, tout en se glissant dans son lit qui l'accueillit avec douceur et réconfort, comme les bras d'une mère. Mais ça, le jeune Abrial n'en savait rien, puisqu'il n'avait jamais connu sa mère, et encore moins la tendresse et le réconfort de ses bras. Condition que partageaient tous les jeunes Atlantes.

Le lendemain matin, Vaiata passa discrètement un papier à son frère, sur lequel il put lire qu'elle lui donnait rendez-vous, après le petit-déjeuner, dans sa chambre avant les départs.

Vaiata en est sûrement venue aux mêmes conclusions que moi face à Mme Gloguen, hum, hum, intéressant!

— Vous avez des mines affreuses, lança de sa petite voix Marélie qui sautillait partout.

Sa bonne humeur semblait exaspérer Vaiata, qui détestait les levers trop matinaux: La jeune fille devait se rendre au quai numéro 4, pour son entraînement d'aqualtisme. L'épreuve annuelle de la Palme d'orichalque aurait lieu très bientôt, et la jeune fille devait s'entraîner avec rigueur et discipline si elle souhaitait, cette année encore, remporter les honneurs.

Ils déjeunèrent en silence sous le regard attentif de la superviseuse. Marélie qui jacassait toujours demanda à son frère s'il l'accompagnait à son cours de natation. Abrial ne lui répondit que d'un simple signe de tête, ce que la gamine n'apprécia pas du tout. Elle n'aimait pas voir son frère silencieux et bougon comme sa jumelle, et elle lui en fit la remarque sans détour.

— Je suis désolée, ma crevette rose, mais je suis un peu fatigué à cause de la fête d'hier. Je pense que tu peux comprendre cela, non ?

Abrial savait parfaitement, lorsqu'il employait ces termes sous-entendant qu'elle avait des aptitudes plus mûres pour son âge, que Marélie s'y employait activement, comme pour confirmer son bon jugement. Bien entendu, qu'elle était assez vieille pour comprendre que l'on puisse être fatigué après une soirée.

— D'ailleurs, je ne suis pas en grande forme moi-même. Je me suis également couchée tard, hier soir... lança-t-elle sur le ton de celle qui a une vie vraiment prenante et très accaparante.

Abrial lui répondit par un sourire.

— Allez vous préparer, enfants Cornwall, il est l'heure pour vous de partir à vos occupations, lança d'une voix métallique et détachée de tout sentiment celle qui ressemblait tant à Mary Poppins, Mme Gloguen.

Vaiata se dirigea vers sa chambre, suivie de près et discrètement par Abrial, tandis que Marélie disparaissait dans la sienne pour ramasser ses effets personnels.

— Nous n'avons que deux minutes, chuchota la jumelle à l'intention de son frère. Je pense que Mme Gloguen nous espionnait hier soir. Nous devons nous méfier d'elle...

— J'ai eu la même idée, ça m'a également donné cette impression. Je crois que tu as raison. Quoi qu'il en soit, nous devons être très discrets. Dès que nous irons nous coucher ce soir, nous attendrons le bon moment, et je viendrai te rejoindre. Il va falloir jouer serré si nous ne voulons pas éveiller les soupçons.

— D'accord, ce soir dans ma chambre. Allez, sors, avant qu'elle ne vienne nous trouver...

Toutes les maisonnées dormaient et toutes les lumières étaient éteintes dans l'aile ouest, appelée les Eaux Troubles, quand Abrial ouvrit avec une lenteur extrême la porte de sa chambre à coucher. Il devait se montrer extrêmement silencieux s'il ne voulait pas voir se matérialiser devant lui Mme Gloguen, qui viendrait s'informer de ses intentions nocturnes.

À pas de loup, il pénétra dans la chambre de sa jumelle qui l'attendait, toutes lumières éteintes. Pour ne pas attirer l'attention de la superviseuse et ne pas demeurer totalement dans le noir, Vaiata tenait à la main un tube incandescent dont elle se servait en plongée. Sa pure lumière blanche n'éclairait que sur un rayon de quelques centimètres. Cela devrait suffire pour lire et discuter, sans attirer l'attention. En percevant l'arrivée de son frère, elle rabattit ses couvertures pour que celui-ci s'y engouffre, en étouffant un rire.

— Ça me rappelle quand on était petits et que nous venions nous retrouver dans les dortoirs des Communs... Te rappelles-tu ? demanda Abrial en chuchotant.

— Ça me semble si lointain aujourd'hui...

— Pourtant, c'était hier ! Nous avions l'âge de Marélie...

— Nous ne nous sommes jamais fait prendre, nous avions vraiment un don pour nous faufiler sans éveiller les vigiles...

Les jumeaux semblaient perdus dans leurs souvenirs quand Vaiata chuchota enfin :

— Bon, trêve de mélancolie, as-tu réfléchi au texte?

La jeune fille s'était toujours montrée moins sentimentale que son frère, du moins le prétendait-elle.

— Oui et non. J'y ai pensé toute la journée. Je dois t'avouer que je n'ai rien trouvé et encore moins déduit.

— Pareil pour moi... poursuivit la jumelle. Pourtant, ça ne doit pas être si compliqué! Je ne me rappelle plus très bien ce qui y est écrit, mais uniquement l'ensemble. Cependant, un passage en particulier m'est resté en mémoire, celui où il est question d'unité...

— Oui, attends... Tiens, c'est ici: « *Hommes, femmes et enfants se réunissaient dans l'unité, la seule ayant encore un sens, en cette ère de grandes incertitudes.* »

— Exactement! Qu'est-ce que ça peut bien vouloir dire: hommes, femmes et enfants réunis dans l'unité?

Abrial réfléchissait pendant que Vaiata relisait encore dans un murmure le passage qui l'intriguait.

— Nous sommes des enfants, mais plus des jeunes enfants... Suis mon raisonnement, Vaiata: nous vieillissons et l'âge nous entraîne vers une différence de plus en plus marquée entre nous. Regarde comme nos corps changent et comme nos esprits suivent ce changement. Il y a une nette différence entre ce que nous sommes aujourd'hui, et ce que nous étions à l'âge de Marélie...

— Évidemment, mais je ne vois pas où tu veux en venir...

Abrial lui fit un signe de la main pour freiner son impatience et lui demander de le laisser finir.

— Nous changeons graduellement et bientôt nous serons totalement à l'opposé dans nos corps et dans nos esprits...

— Oui, et... ? s'impatienta Vaiata.

— Nous devenons un homme et une femme... Donc, en poursuivant cette logique, nous pourrions concevoir un enfant.

— Quoi ? s'écria la jumelle.

— Chut ! Nous allons être repérés... Pas nous directement, idiote, nous sommes frère et sœur, mais prenons un exemple... Tiens, toi et Audric !

Vaiata lui lança un regard où se mêlaient inimitié et colère.

— Ce que j'essaie de t'expliquer et d'après ce que j'en sais, reprit Abrial, autrefois les hommes et les femmes s'unissaient pour avoir un ou des enfants, tout comme le font les dieux... non ? Attends, que je me souvienne du mot employé pour décrire cette situation. Abrial fit un effort de mémoire avant de saisir le bras de sa sœur : le mariage ! Voilà, le mariage. Ils s'unissent dans le mariage pour fonder une famille. La famille forme alors un noyau, un ensemble, un tout... une unité ! Voilà le mot-clé. Les hommes, les femmes et les enfants se réunissaient dans l'unité, dans la famille, la seule chose ayant encore un sens.

— Wow !... Mais où as-tu pris tout cela ?

— Tu n'écoutes pas dans les cours d'histoire ? Je me souviens d'un cours sur les relations entre dieux et déesses, où il en était question. Certains dieux s'unissent avec des déesses et conçoivent ainsi d'autres dieux, formant une famille...

— Attends, attends ! Si je suis ton raisonnement, donc, nous, Atlantes, provenons également d'une famille ?

— Notre chère professeure d'histoire, Mme Orcades, te répondrait que nous sommes bien évidemment les enfants de Poséidon, notre père à tous. Ainsi nous formons une famille... Une grande famille, compléta Abrial. Mais, si on en croit ce texte, il existait avant d'autres types de familles...

— Attends, attends... Si nous avons tous le même père, cela veut dire que nous sommes tous frères et sœurs...

— Hum, hum ! Tu as raison... Pas très logique tout ça... renchérit Abrial.

Vaiata regardait fixement le livre, jouant machinalement avec sa lampe.

— Et si je suis toujours ton raisonnement, cela signifie donc que nous devons également avoir une mère !

— À l'évidence oui, sinon comment expliquer que nous soyons ici ? Selon ce que j'ai lu, il faut un mâle et une femelle, soit un dieu et une déesse, pour concevoir un nouvel être. Je ne crois pas qu'un être unique puisse concevoir un autre être, bien qu'il existe plusieurs espèces marines hermaphrodites.

— Peut-être faisons-nous partie d'une espèce capable de se reproduire par elle-même, sans partenaire... lança Vaiata, au grand désespoir de son frère.

— Je vais faire une recherche là-dessus à la bibliothèque, dès que je le pourrai. Pour en revenir à ce qui nous préoccupe, plus j'y pense et plus cette explication de famille me semble plausible, en tout cas, plus réaliste que cette descendance d'un dieu unique... Et puis, si nous sommes les enfants d'un seul dieu, que nous avons tous Poséidon pour père, pourquoi toi, moi et Marélie sommes-nous ensemble dans cet appartement, alors que d'autres vivent dans les Communs ? Pourquoi ne vivons-nous pas tous dans la même maison, puisque nous sommes tous frères et sœurs ? Et puis, il y a nos noms de famille...

— Tu as raison, bien entendu, nos noms...
Et les ressemblances physiques également.
Marélie nous ressemble. On voit bien en nous
regardant que nous sommes de la même famille.
La couleur de nos yeux est une particularité en
soi, que nous partageons tous les trois. Je n'ai
encore jamais rencontré d'Atlante ayant la
même couleur d'yeux que nous. Et je n'ai aucun
trait de ressemblance avec Naïs ou encore
Âvdèl... Donc, à nous trois, nous formons une
unité, une famille... La seule ayant un sens,
quand on y pense bien !

— Je pense comme toi, poursuivit Abrial
avant de relire toujours dans un murmure : « *Il
fut un temps, pas si lointain, où Terra Nova
offrait encore la vie. Dernier bastion d'une
existence paisible, possible. Le continent accueillait les réfugiés des autres terres, par milliers. Les
terres de ces inconnus se mouraient, et avec
elles, les espoirs. Hommes, femmes et enfants se
réunissaient dans l'unité, la seule ayant encore
un sens, en cette ère de grandes incertitudes.* »
Terra Nova était un continent... Terra Nova. Je
n'ai jamais lu que l'Atlantide aurait porté cet
autre nom ! Et puis, notre île n'est pas un
continent...

— Pourtant, il est bien écrit ici que les
autres terres se mouraient et, d'après ce qu'on
nous enseigne, l'Atlantide aurait été le dernier

refuge pour les habitants des autres îles qui l'entouraient et qui se mouraient...

— Effectivement, c'est bien ce que l'on nous enseigne...

Abrial releva ses yeux marine pour regarder sa sœur, découragé.

— Je n'y comprends rien... Tout semble à la fois mystère et réalité. Nous cherchons à interpréter ce texte, alors que, peut-être, n'y a-t-il rien du tout à interpréter...

Vaiata posa sa main sur celle de son frère.

— Je pense surtout que nous ne devons pas nous décourager et que nous ne devons pas, non plus, perdre de vue nos intuitions. Nous ne comprenons peut-être pas encore ce que nous avons sous les yeux, mais je suis certaine qu'un jour viendra où tout s'éclairera. Allez, il se fait tard. Allons nous coucher. C'est assez pour aujourd'hui... Et puis, je dois être en forme demain pour mon entraînement, si je veux remporter la Palme !

CHAPITRE 4

« Regarde, Abrial, le beau dessin que j'ai trouvé. » Marélie tendait à Abrial venu la chercher après l'école, une feuille très colorée. « Il est spécial, regarde », insista-t-elle sur un ton plus colérique en voyant qu'elle n'avait pas son attention, lorsque, enfin, il posa ses yeux sur le papier.

Abrial s'arrêta aussitôt de marcher, saisissant la feuille que lui tendait la fillette, pour la regarder plus attentivement. Il ne comprenait pas ce qu'il voyait, mais le dessin était très particulier. Il représentait un monde imaginaire, qu'il ne connaissait pas. L'illustration se couvrait de grandes colonnes brunes surmontées de vert, de drôles d'animaux ressemblant à des raies, mais beaucoup plus petits, étaient suspendus au-dessus de fleurs qui, elles, ressemblaient à des anémones, mais tout de même très différentes. Le haut du dessin était bleu, pas aussi profond que celui de la mer, mais d'une autre teinte, plus pâle, plus douce, et le bas était vert, comme un tapis d'algues. Dans le haut du dessin, un drôle de visage sortait d'un gros coussin blanc et dodu, soufflant de ses grosses joues sur les anémones qui semblaient en mouvement.

— Où as-tu trouvé ce dessin, Marélie ?

— Dans mon pupitre... Ce matin lorsque je suis arrivée en classe et que je l'ai ouvert pour prendre mes affaires, le dessin était là, sur le dessus... C'est un beau cadeau, tu ne trouves pas ?

— Magnifique en effet, mais tu ne sais pas qui l'a déposé là ?

— Non, pourquoi ? Il est à moi, lança la gamine en fronçant les sourcils, d'un air boudeur, en reprenant le dessin des mains de son frère, de peur de le voir disparaître.

— Bien sûr qu'il est à toi, ma crevette rose, puisque c'est dans ton pupitre qu'il a été déposé. Je me demandais juste qui avait eu cette charmante idée de te l'offrir... pour le remercier, Marélie, car il faut le remercier...

— Non, je ne sais pas... Je peux le garder quand même ?

— Oui, bien sûr, mon petit poisson-clown.

Abrial contempla de nouveau le dessin par-dessus l'épaule de la fillette. Il ne comprenait pas ce que ça représentait, car rien ne ressemblait à ce qu'il connaissait. Il n'y avait pas de poissons, pas de coraux, pas de plantes aquatiques, rien qui ressemblait à son monde, rien que l'on trouvait dans les eaux, ni dans l'Atlantide. Qu'étaient donc ces drôles de représentations et que voulaient-elles dire ? Étaient-ce les symboles d'une écriture disparue ? Un peu comme sur les colonnes du sanctuaire de Poséidon, où étaient gravés les enseignements du dieu. Les Atlantes n'en connaissaient pas la signification exacte, puisque ces lois étaient écrites dans une langue depuis longtemps oubliée. Abrial avait cependant un doute, et quelque part le sentiment que ce dessin provenait du même destinataire que le livre qu'ils avaient reçu. Que souhaitait-on qu'ils découvrent, Vaiata et lui ? Et comment le trouver, puisque, jusqu'ici, ils ne comprenaient absolument rien des indices qu'on leur laissait.

— Garde précieusement ce dessin, Marélie, ne le montre à personne, surtout pas à Mme Gloguen, d'accord ? Nous le montrerons à Vaiata plus tard, cache-le dans ton sac...

— Pourquoi ? demanda la gamine, avec le regard curieux de ceux qui veulent toujours tout savoir.

— Parce que Mme Gloguen ne serait pas contente d'apprendre que tu as reçu un cadeau sans en connaître le donateur, pour le remercier comme il se doit. Elle trouverait cela... inconvenant !

Marélie se mit à rire franchement de cet éclat si frais et si pur, propre aux enfants. Elle trouvait franchement amusant de voir son frère imiter leur nounou, qu'elle trouvait toujours si rigide. Mme Gloguen ne riait jamais et cela agaçait la fillette qu'elle était.

— Nous sommes invités au dix-huitième anniversaire de Coralie, fit Abrial en tendant à sa sœur une pile de vêtements qu'elle rangea dans l'armoire de Marélie. Elle a décidé d'organiser une fête. Évidemment, l'excitation n'y est pas ! Elle m'a confié qu'elle préférait partir en gardant à la mémoire ses derniers moments heureux avec ses amis, plutôt que de rester seule à angoisser sur ce qui allait arriver. Depuis plusieurs jours, elle s'enferme chez elle, refusant d'ouvrir la porte. Ses deux sœurs sont terriblement inquiètes pour elle, mais aussi pour elles-mêmes. Je leur ai dit que nous serions là, ce soir et même... après.

— Tu as bien fait, mais n'emmenons pas Marélie avec nous... suggéra Vaiata. Je n'ai pas envie qu'elle se bute à cette angoisse et à toutes ces questions trop vite, il est trop tôt... Elle est trop jeune.

— Je suis d'accord. Je vais prévenir Mme Gloguen.

Maia et Adria, les deux sœurs cadettes de Coralie, avaient organisé la petite fête d'anniversaire de leur aînée. Mais ce fut avec un visage triste et défait que les invités se présentèrent à la porte. Tous souhaitaient accompagner leur amie jusqu'au dernier instant, même si l'idée de célébrer l'événement semblait quelque peu déplacée pour certains. L'ambiance serait d'une tristesse accablante et pour tenter d'exorciser ce mal latent, Abrial songea, en se présentant à la porte avec Vaiata, qu'il serait peut-être préférable de faire semblant que cet anniversaire était pareil aux autres.

Quelle ne fut pas leur surprise lorsque la porte s'ouvrit sur une Coralie souriante et totalement épanouie !

— Ah ! il ne manquait que vous deux, entrez, allez, dépêchez-vous !

Abrial et Vaiata allèrent s'entasser avec les autres dans le petit salon coquet, mais surchargé par une décoration des plus hétéroclites, comme en faisait foi cette énorme ancre de bateau qui régnait en maître au beau milieu de la pièce, et qui ne servait visiblement à rien.

Le séjour était lumineux et joyeusement décoré pour l'occasion et, un instant, ils se demandèrent ce qui se passait. Ils s'étaient attendus à passer une soirée d'une infinie tristesse, à tenter de retenir leurs larmes et à calmer les angoisses de leur amie, ainsi que les leurs. Mais il n'en était rien, une certaine gaieté se lisait dans les yeux turquoise, toujours rieurs, de Coralie. Vaiata s'approcha d'une des sœurs de son amie, qui souriait poliment à tout le monde, en servant des petits fours.

— Que se passe-t-il avec Coralie, est-ce qu'elle joue la comédie ?

— Tu devrais être heureuse de ne pas la voir pleurer ! lança la jeune fille en lui présentant le plateau d'escargots et d'oursins frits.

— Oh, bien sûr que je le suis, crois-moi, mais disons que je m'attendais à la voir déprimée... S'est-il passé quelque chose ?

— Que veux-tu dire ? s'enquit Adria, en avalant d'une bouchée un escargot frit.

— Que sa soudaine bonne humeur face à l'inévitable paraît suspecte, précisa sur un ton plus mordant Abrial, qui venait de les rejoindre.

— Non, il ne s'est rien passé... C'est vrai que depuis quelques jours, Coralie était vraiment déprimée et nous savons tous pourquoi évidemment, mais, depuis ce matin... en fait, depuis qu'elle a reçu cette splendide broche (la jeune fille désigna du menton le bijou accroché à la robe de sa sœur), elle est d'une humeur exceptionnelle. Je dois même avouer que je ne l'avais encore jamais vue ainsi... C'en est presque inquiétant, conclut Adria en fronçant les sourcils, comme si elle comprenait enfin que sa sœur n'avait peut-être pas un comportement tout à fait normal.

Abrial et Vaiata observèrent Coralie qui papillonnait d'un invité à l'autre, légère et insouciante. Elle arriva à leur hauteur, un sourire éclatant aux lèvres.

— Alors, comment trouvez-vous ma petite fête ? Sympa, hein ?

Vaiata lui rendit son sourire avant d'enchaîner, l'air inquiet :

— Comment te sens-tu, Coralie ?

— Extrêmement bien, en fait, je crois que je ne me suis jamais sentie aussi bien...

Vaiata réprima un mouvement de surprise. Que son amie affirmât se porter à merveille était une bien bonne nouvelle, mais alors, pourquoi trouvait-elle cela inquiétant ? Un bref instant, elle se pencha sur la question avant de conclure qu'effectivement la répartie de Coralie n'avait rien de naturel. Comment pouvait-elle être aussi insouciante alors qu'elle passait sa dernière nuit parmi eux ? Pouvait-on être désinvolte face à l'inconnu ?

— C'est un magnifique bijou que tu as là, qu'est-ce que ça représente ? poursuivit Vaiata, en reportant son attention sur la broche, tout en l'effleurant délicatement du bout des doigts.

Le bijou, finement et délicatement exécuté, était fait d'orichalque, ce métal si précieux que l'on ne trouvait que sur Atlantide, un étrange alliage d'argent aux reflets chauds et brillants. La broche représentait un cheval s'arquant sur ses pattes de derrière, tenant un trident dans sa bouche. Mais les Atlantes ne connaissaient pas cet animal. L'identifier était donc impossible pour eux.

— Je ne sais trop. L'animal possède une tête qui ressemble à celle d'un hippocampe, mais son corps se compose de quatre pattes. Je n'ai jamais vu cela auparavant. Probablement un animal mythique, comme la licorne de mer*...

— Il tient un trident, remarqua Abrial, sans lâcher des yeux le bijou qui semblait fasciner tous ceux posant le regard sur lui. C'est le symbole de Poséidon. Qui t'a fait ce magnifique cadeau, Coralie ?

— Je n'en sais rien. Je l'ai reçu ce matin... J'étais complètement déprimée et abattue, lorsque Maia m'a apporté une boîte joliment enrubannée qui m'était destinée, et qu'elle venait de découvrir sur la table de la cuisine. Lorsque je l'ai ouverte, j'ai aussitôt senti un grand bien-être m'envahir et, depuis ce temps, je me sens merveilleusement bien...

— C'est fantastique, renchérit Vaiata, heureuse pour son amie, mais réellement soucieuse devant ses explications si incroyables.

— Et ce cadeau était-il accompagné d'un mot ? poursuivit Abrial, sans se soucier de l'enthousiasme apparent de sa sœur.

— Oui, une petite carte, nue sans motif, comme un carton de visite et sur laquelle n'était inscrit que : *Joyeux anniversaire, chère Coralie.* Étrange, n'est-ce pas ? En tout cas, sa provenance m'est égale. Elle me fait tellement de bien que jamais je ne m'en séparerai...

— Coralie ! appela Maia, peux-tu venir ici ?

Coralie se dirigea vers sa sœur, laissant Abrial et Vaiata, perplexes.

— Bien étrange, cette histoire de broche... Mais tout me semble si étrange depuis quelques jours. D'abord ce livre pour notre anniversaire, ensuite le dessin de Marélie...

— Le dessin de Marélie, quel dessin ? s'enquit sa jumelle.

— Je voulais te le montrer, mais Mme Gloguen était toujours dans les parages. Ce matin, en ouvrant son pupitre, Marélie a découvert un dessin posé là, sur ses cahiers. Aucun nom, aucun indice sur une quelconque provenance, juste un dessin abstrait, fait de symboles que nous ne connaissons pas. Je te le montrerai ce soir, tu comprendras. Et maintenant ce bijou... Pourquoi, par Hadès, toutes ces étrangetés, et maintenant ? C'est ce que je ne saisis pas... Il y a quelques jours seulement, nos journées se déroulaient normalement, mais depuis quelque temps, les choses se précipitent, pourquoi ?

— Peut-être parce que la personne qui nous fait parvenir ces éléments estime que nous sommes maintenant aptes à comprendre ces mystères, proposa Vaiata.

— Mais nous sommes toujours incapables de les comprendre, renchérit Abrial.

— Exact, pour le moment, concéda Vaiata. Ça ne veut pas dire que nous n'allons pas découvrir de quoi il retourne... C'est toi qui te décourages et qui perds patience, et c'est moi qui te demande de garder ton calme ! Les rôles sont inversés ! Oui, effectivement, on peut dire qu'il se passe des choses étranges !

Abrial se passa la main dans les cheveux, puis sur le visage. Ce geste lui donna une allure plus âgée, ce qui fit sourire Vaiata. Il était tellement beau avec ses cheveux foncés légèrement ondulés, ses yeux marine si profonds, que la couleur ivoire de sa peau soulignait avec intensité. Vaiata était très fière de lui, mais il était hors de question de lui en faire part, conclut-elle pour elle-même dans un rictus.

— Tu as certainement raison, finit-il par dire. Nous ne devons pas baisser les bras. Nous allons trouver à quoi tout cela rime. Même si pour le moment nous nageons en eaux troubles! Mais c'est un tel mystère! As-tu remarqué l'étrange effet que produit cette broche sur Coralie? Je me demande...

— Quoi? interrogea aussitôt sa sœur. Qu'est-ce que tu te demandes?

— Ce bijou qu'elle reçoit comme ça, le jour de son dix-huitième anniversaire, alors qu'elle devrait se terrer dans un coin, tremblante de peur... As-tu remarqué qu'en sa présence un certain bien-être nous envahit également? Dès que Coralie est arrivée à notre hauteur, tout à l'heure, j'ai eu l'impression que toutes mes angoisses des derniers jours disparaissaient. Je me suis senti plus léger, moins angoissé...

— Oui, oui, c'est vrai! J'ai également éprouvé cette sensation. Avant qu'elle nous rejoigne, je trouvais son attitude bizarre, mais dès qu'elle a été à mes côtés, son enthousiasme m'a gagnée rapidement, me faisant oublier l'étrangeté de la situation.

— En plus, un autre symbole mytho-logique vient s'ajouter à tous ces mystères, cet animal bizarre à la tête d'hippocampe... Écoute, Vaiata, demain, nous sommes en congé, voici mon plan. Pendant que je vais aller à la biblio-thèque, toi, tu vas occuper Mme Gloguen pour qu'elle ne vienne pas me déranger dans mes recherches.

— Il restera Mme Crestina... fit remarquer Vaiata.

— J'essaierai de l'occuper ailleurs. Je trouverai bien une solution pour l'éloigner, murmura Abrial, en dégustant un oursin frit qu'il venait juste d'attraper sur un plateau qui passait à sa portée.

Poséidon, dieu grec, fils de Cronos et de Rhéa, reçut, dans le partage des mondes, l'empire des mers, des océans et de l'eau. Ses frères Zeus et Hadès se partagèrent pour l'un le ciel et l'air et pour l'autre les terres souterraines et les volcans. L'emblème de Poséidon est le trident, mais également le cheval, qui est le symbole terrestre du dieu.

Dans les pages du livre, dessiné avec art, Abrial reconnut aussitôt l'animal de la broche de Coralie. Ce bijou représentait donc un *cheval* tenant dans sa bouche un *trident*, les deux emblèmes de Poséidon. L'un marin et l'autre terrestre.

Terrestre, ce mot se détachait de la page du livre qu'il consultait, pour venir danser devant ses yeux. Il ne voyait plus que lui. *Terrestre*. Sans perdre un instant, il s'empara du dictionnaire dont il se mit à tourner les feuilles avec frénésie jusqu'à la définition du mot.

Terrestre : Adjectif. Relatif à la terre... qui vit sur la partie solide du globe... Exemple : les animaux et les plantes terrestres...

« *Qui vit sur la partie solide du globe... sur la partie solide... sur la partie solide...* »

Abrial laissait ces quelques mots s'infiltrer en lui, l'habiter, prendre possession de tout son être. Il referma bruyamment le dictionnaire, soudain terrifié à l'idée que Mme Crestina, la superviseuse-bibliothécaire, puisse le surprendre. Comme si ce mot dévoilait une vérité qui devait demeurer cachée. Qu'il devait ignorer.

« *Sur la partie solide* »... sur, et non sous, c'est bien ce que j'ai lu... murmura-t-il pour lui-même. Sans qu'Abrial fasse d'effort, sans même y penser, un autre passage vint se juxtaposer à sa première réflexion : « *Il fut un temps, pas si lointain, où Terra Nova offrait encore la vie. Dernier bastion d'une existence paisible, possible. Le continent accueillait les réfugiés des autres terres, par milliers. Les terres de ces inconnus se mouraient, et avec elles, les espoirs. Hommes, femmes et enfants se réunissaient dans l'unité, la seule ayant encore un sens, en cette ère de grandes incertitudes...* » Par Hadès ! serait-ce ce que je crois ? Les légendes disent-elles vraies ?

De sa poche, le jeune homme tira un feuillet qu'il déplia avec précaution, tout en jetant des coups d'œil nerveux autour de lui. Mais l'immense salle était relativement calme. Après tout, aujourd'hui, c'était congé pour les Atlantes, qui d'autres que lui et quelques autres intellos viendraient perdre son temps à la bibliothèque ? Même Mme Crestina semblait avoir pris congé, car pas une fois depuis son arrivée il ne l'avait aperçue, et c'était tant mieux.

Il fut une ère, celle des hommes. Il fut une planète, appelée Terre. Il fut un monde ancien qui se réfugia dans un monde nouveau. Terra Nova. Il fut une vie, avant qu'elle ne soit détruite. Il fut un paradis perdu...

L'immensité de Terra Nova avait permis d'accueillir tellement de gens que bientôt les terres et les eaux devinrent une richesse à sauvegarder, un trésor à protéger. Le mal qui avait décimé les terres pas si lointaines se manifestait dans le Monde Nouveau.

Abrial relut plusieurs fois ces quelques lignes, cherchant à y déceler d'autres indices pour confirmer ce qu'il commençait à entrevoir. Il pressentait quelque chose qui commençait à ressembler à une réponse. L'ébauche d'une explication se dessinait dans son esprit.

Il releva la tête, un sourire étrange accroché aux lèvres. Un instant, il fixa l'ensemble de la bibliothèque, découvrant pour la première fois sa fascinante beauté.

La pièce, haute et vaste, était faite de marbre rouge et, pour la première fois, Abrial découvrit que le chapiteau des colonnes ioniques se garnissait de fleurs qu'il n'avait encore jamais remarquées, et dont il découvrait toute la grâce. Son plafond se parsemait d'étoiles d'or qui scintillaient sous les lumières. Comment se faisait-il qu'il n'avait jamais encore remarqué ces détails ? Comment se faisait-il que personne n'avait encore vu que le plafond de la bibliothèque représentait une voûte céleste ?

Abrial connaissait la représentation d'un ciel étoilé pour l'avoir déjà observée dans des livres de mythologies et de légendes. Les illustrations magnifiques s'accompagnaient de détails sur certaines constellations fantastiques aux noms étranges d'animaux mythiques. Une étincelle s'anima dans ses yeux couleur marine et, pendant un moment, le garçon contempla ce qui l'entourait avec plus de discernement. Il venait de saisir quelque chose, une lumière venait de s'allumer.

Il ne comprenait pas encore toute la complexité de l'affaire, mais il entrevoyait le début d'une réponse. Il soulevait le voile qui depuis trop longtemps obstruait sa vue. Devant lui, la réalité se montrait, enfin. Il ressentait au fond de son être une vérité depuis trop longtemps oubliée, mais comment expliquer ce sentiment à Vaiata? Car il s'agissait bien d'un sentiment. Il ressentait au fond de lui une certaine vérité, une réponse encore ténue, mais bien présente, à ses trop nombreuses questions. Il tenait entre ses mains le fil invisible qui les mènerait vers la lumière. Il commençait à comprendre.

Un immense brouhaha le sortit de ses pensées. Vaiata accourait en pleurs. Il la reçut dans ses bras et, pendant de longues secondes, il n'entendit que ses sanglots. Il préféra attendre, plutôt que de la presser de questions, lorsque, enfin, dans une longue plainte déchirante, il l'entendit hoqueter:

— Coralie...

Abrial n'avait pas besoin d'explications supplémentaires pour comprendre que leur amie avait disparu. La veille, ils avaient fêté ses dix-huit ans.

CHAPITRE 5

— Es-tu prête? demanda Abrial en aidant Vaiata à retirer son peignoir alors qu'elle allait entreprendre son réchauffement.

Sa combinaison de plongée gris argenté aux reflets or ressemblait à une véritable peau de poisson. Même le dessin en suggérait les écailles. Et les couleurs variaient selon les plongeurs : elles étaient luminescentes afin de mieux différencier les nageurs dans les zones crépusculaires. Ces combinaisons faites sur mesure et spécialement conçues pour les profondeurs étaient confectionnées en un seul morceau, couvrant entièrement le corps de la tête aux pieds, et se terminaient par une large palme formant une nageoire caudale qui venait s'ajuster au vêtement.

— Je suis prête physiquement, mais je manque un peu de concentration, déclara la jeune plongeuse.

— Vaiata, fais un effort ! Tu dois rester extrêmement concentrée, non seulement pour gagner la course, mais surtout pour ta sécurité. L'un ne va pas sans l'autre en plongée.

— Je sais, je sais, Abrial... Mais je ne cesse de penser à Coralie. Elle me manque tellement.

— À moi également ! Mais nous aurons tout le temps qu'il faut après la course pour la pleurer et pour nous rappeler à quel point nous l'aimions. Maintenant, fais ce qu'elle aurait voulu te voir faire... Remporte la Palme ! Fais-le pour elle. Je t'attends à la ligne d'arrivée...

Abrial déposa un tendre baiser sur la joue de sa sœur avant de la serrer dans ses bras. La jeune fille se retourna vers Marélie assise avec Naïs et Océane dans les estrades, et lui envoya un signe de la main.

Un son retentissant signala aux plongeurs et aux spectateurs que la compétition allait bientôt débuter et que les retardataires devaient se présenter au quai de départ.

La représentation holographique du maître-nageur Warin se tenait près de la barrière ouvrant sur les profondeurs obscures de l'océan. Vingt-deux concurrents, prêts à plonger, étaient assis autour du bassin de plongée, leur queue caudale se balançant dans l'eau froide. L'entraîneur Warin les regarda un à un, avant de prononcer d'une voix grave, légèrement synthétisée et totalement dénuée de sentiments :

— Nous sommes aujourd'hui réunis pour la trente-septième épreuve annuelle de la Palme d'orichalque et, comme chaque année, cette course offrira de grandes sensations, d'immenses joies à certains et de grandes peines à d'autres, mais il ne peut y avoir qu'un seul vainqueur. Vous connaissez le règlement, et si l'un d'entre vous est pris à tricher, il sera immédiatement exclu de la course. Jamais plus il ne pourra s'y représenter. Cette course est dangereuse et n'admet aucune erreur. Elle se compose de trois épreuves : la première est celle des profondeurs, vous descendrez jusqu'à cinq cents mètres ; la deuxième est celle du danger, vous devrez éviter un péril ; la dernière est la réflexion. Je ne vous en dis pas plus, vous verrez par vous-mêmes.

Le maître-nageur détourna son regard vers les estrades, où du tapage se faisait entendre. L'attitude froide et autoritaire du superviseur y mit fin aussitôt. Satisfait, il reporta son attention sur les plongeurs et poursuivit :

— Si vous éprouvez des problèmes ou si vous désirez abandonner la course, vous trouverez tous les cent mètres des écoutilles qui vous permettront de remonter rapidement jusqu'ici. Vous devez suivre le trajet établi sans jamais vous écarter de la route fléchée. Rappelez-vous que personne ne peut vous aider.

C'est la raison pour laquelle cette course est ce qu'elle est. N'oubliez jamais que les abysses abritent des pièges effroyables et que celui qui s'y égare risque sa vie. Méfiez-vous également de vous et de vos réactions, la panique n'est jamais bonne conseillère.

Les jeunes aqualtistes se regardaient, légèrement inquiets. De vieilles histoires circulaient sur les profondeurs, dont celle de ce jeune homme qui avait voulu attraper un poisson-lanterne remontant vers la surface pour se nourrir et que l'on ne revit jamais. Il s'était éloigné de la route balisée et n'avait jamais pu revenir. On prétendait que son esprit hantait les zones crépusculaires de l'océan, et que quiconque croiserait son chemin se perdrait à son tour.

« Ce sont des sornettes ! » s'était écrié Vaiata, lorsque Audric lui avait raconté cette histoire la première fois. Un conte pour faire peur aux enfants.

La jeune fille glissa un regard vers son ami qui se tenait à ses côtés, en se remémorant la légende. Audric participait également à la course comme chaque année depuis cinq ans. Mais il n'avait pas la détermination qu'il fallait pour gagner. Toutefois, cela ne semblait pas le déranger le moins du monde, puisqu'il prétendait participer à cette épreuve uniquement pour son plaisir. Vaiata haussa les épaules à cette pensée, car elle, elle était là pour remporter la Palme et rien d'autre. La jeune fille était aussi déterminée à remporter la victoire que son frère à découvrir les raisons de leur présence dans l'Atlantide.

— Mettez-vous en place ! Au signal, vous plongez, commanda Warin. Vous avez exactement une heure pour effectuer le parcours. En chemin, vous trouverez des points d'arrêt, clairement indiqués, pour reprendre votre souffle. Bonne course et, surtout, soyez beaux joueurs. Gagner apporte certes la gloire, mais je considère qu'avouer ses faiblesses demande bien plus de courage. Des questions ?

Comme personne ne répondit, il reprit :

— Êtes-vous prêts ? Attention ! Plongez !

Aussitôt un son strident résonna et, dans un mouvement bien coordonné, tous les plongeurs se jetèrent dans le bassin.

Sous l'eau, Vaiata fit un signe à Audric pour lui faire comprendre qu'elle lui souhaitait bonne chance avant de disparaître derrière un monticule de sable.

L'épreuve commençait à cet endroit. Dès que l'adolescente eut sauté à l'eau, elle repéra tout de suite le fanion jaune. En quelques coups de queue, elle se retrouva à la base du drapeau, et chercha du regard le chemin à suivre. Plusieurs plongeurs la suivaient de près. La jeune plongeuse, d'une puissante poussée, se propulsa vers le deuxième drapeau jaune.

Bon, le tracé nous dirige par là... C'est bien ce que je pensais, vers les grottes... Déjà l'année dernière, ce chemin m'avait semblé tout indiqué pour l'épreuve. Allons-y, pas de temps à perdre! Gwen vient lui aussi de l'apercevoir.

Nonobstant sa chevelure caractéristique, Vaiata ressemblait à une sirène et, en l'apercevant, tout pêcheur aurait prêté foi aux légendes merveilleuses qui en faisaient leur héroïne.

La plongeuse se dirigea avec souplesse et rapidité vers l'entrée d'une série de grottes, dans lesquelles elle s'engouffra aussitôt. La nuit régnait toujours en maître dans ces cavités obscures, et il lui fallut quelques secondes avant de distinguer les marques phosphorescentes de la route à suivre.

Elle s'arrêta une seconde, le temps de faire un palier de décompression, car elle venait de descendre de quelques mètres. Ce fut alors qu'elle sentit, plus qu'elle ne vit, une ombre la frôler. Il devait s'agir d'un autre plongeur. Sans chercher à deviner qui cela pouvait bien être, elle enfila le long tunnel noir, indiqué par des flèches luminescentes.

L'espace y était restreint et elle progressait avec lenteur dans le tunnel. Elle devait continuellement tâter des mains l'espace qui l'entourait, pour éviter de se cogner contre les parois.

La descente lui sembla longue; elle commençait à ressentir le besoin de respirer de l'air frais, lorsqu'elle aperçut dans l'obscurité le symbole marquant l'emplacement d'une poche d'air. D'un coup de queue, elle enfila le boyau pour émerger en quelques secondes dans une conduite artificielle, où de l'air était pulsé. Seule sa tête émergeait et elle consacra quelques secondes à bien respirer avant de replonger. À sa sortie du sas, elle sentit le contact physique d'un autre nageur qui, comme elle, remontait s'alimenter en air. Qui ? Il lui était impossible de le savoir, et d'ailleurs elle ne le souhaitait pas. Elle préférait ignorer où en étaient ses amis dans la course.

Je dois demeurer concentrée, c'est l'unique façon de gagner...

Vaiata continua sa descente, s'arrêtant de temps à autre pour ses paliers de décompression. Puis elle déboucha sur une vaste et haute salle, ce qui lui permit de reprendre son souffle. La tête hors de l'eau, la plongeuse respirait à pleins poumons. La descente était exigeante physiquement et psychologiquement, et la noirceur des lieux ne facilitait pas l'exercice. Les plongeurs devaient prendre le temps de décompresser à chacun des paliers, tout en s'assurant de ne pas manquer d'air. Cette épreuve reposait sur le jugement et l'expérience des plongeurs. Vaiata se rendit compte avec soulagement que la cavité dans laquelle elle venait de refaire surface était baignée d'une faible luminosité. Juste assez de lumière pour rassurer l'esprit. Vaiata refit le plein d'air avant de replonger, lorsqu'elle aperçut Gwen devant elle. Il venait de la dépasser.

Oh, mais... il ne reprend même pas d'air, il est complètement fou! Sa volonté de gagner est aussi impitoyable que sa folie.

Le principal adversaire de Vaiata, et ce, depuis des années, était ce garçon arrogant, âgé de quelques mois de plus qu'elle. Gwen était un excellent plongeur, mais son grand défaut était son manque de scrupules. Il était prêt à tout pour remporter la victoire, même à mettre sa propre vie en danger. Depuis quatre ans qu'elle remportait la Palme, Vaiata savait pertinemment que Gwen la détestait, et que s'il pouvait lui nuire, il profiterait de l'occasion, sans aucun remords.

Elle aperçut également Audric qui refaisait surface pour reprendre son souffle. Sa présence l'apaisa. La plongeuse n'était pas du genre à s'effrayer ni du noir, ni des profondeurs, mais tout de même, les lieux n'avaient rien de rassurant. L'assurance de son ami l'avait toujours réconfortée, elle avait toujours aimé l'idée qu'Audric participât à la course pour son plaisir, même si, elle-même, ne partageait pas cette motivation. Elle poursuivit son trajet et pénétra dans un nouveau passage.

Vaiata freina net son allure en découvrant que les parois de la caverne étaient couvertes de coussins de belle-mère*. De toute évidence, cette galerie représentait l'épreuve du danger. Ces étoiles de mer, en apparence inoffensives, et si magnifiques, étaient en réalité venimeuses. La jeune fille comprit qu'elles avaient été placées là pour la course, puisque normalement ces astéries se tenaient près des récifs coralliens, dont elles se nourrissaient. Leurs piquants pénétraient sous la peau pour relâcher leur venin, déchirant du même coup la combinaison du plongeur. Il était alors extrêmement difficile de les extraire et la victime subissait pendant plusieurs jours de douloureuses inflammations. Le danger ne se trouvait pas uniquement dans ces éventuelles piqûres, mais aussi dans le fait de voir sa combinaison déchirée. Un tel incident entraînait pour la pauvre victime des risques d'hypothermie.

Lentement la jeune fille s'engouffra dans l'étroite galerie qui devait mesurer une vingtaine de mètres, mesurant ses gestes et ses coups de pied, cherchant des prises pour ses mains qui lui permettraient de se propulser sans avoir à nager.

Lorsque, après de longues minutes, elle atteignit la sortie, elle laissa échapper un soupir de soulagement qui forma de grosses bulles qui cherchèrent à s'échapper de la grotte en longeant les parois de roc.

Elle jeta un regard derrière elle pour voir si Audric la suivait toujours. Malgré la pénombre, elle le voyait, grâce à sa combinaison luminescente, cheminer à son tour lentement dans le long tunnel. Elle allait poursuivre sa course, quand elle le vit du coin de l'œil frôler du coude un énorme coussin de belle-mère mesurant près d'un mètre, et dont un des bras se détacha de la paroi pour venir s'appuyer sur celui du plongeur.

La réaction d'Audric fut catastrophique. Paniqué par ce contact, il se dégagea trop brusquement de l'astérie, pour se projeter sur la paroi opposée tapissée d'autres coussins venimeux. En l'absence de tout bruit, Vaiata perçut clairement à travers l'eau les cris de douleur du jeune homme. Sans hésiter, elle fit demi-tour et s'engouffra dans le tunnel pour le saisir par le bras.

Audric avait le visage crispé par la douleur et les membres rigides. Dans l'agression, le plongeur avait rejeté tout l'air de ses poumons et Vaiata comprit qu'il lui fallait trouver très rapidement l'emplacement d'une poche d'air. Elle lui insuffla une partie de l'oxygène retenu dans ses propres poumons, afin d'éviter qu'Audric ne perde connaissance. Avec mesure, bien qu'elle comprît fort bien l'urgence de la situation, elle parvint à le sortir du passage. Et pendant quelques secondes, qui lui semblèrent des heures, elle chercha du regard un endroit pour permettre à Audric de respirer. La raideur de son ami n'aidait pas ses déplacements et le jeune homme semblait totalement absent, presque inconscient. C'est avec peine qu'elle parvint enfin à le hisser jusqu'à une poche d'air, où enfin il put respirer librement.

Heureusement! pensa-t-elle. *Il n'est pas en état de panique!*

Le pauvre garçon souffrait atrocement et Vaiata pouvait lire sur ses traits crispés toute la douleur ressentie. Elle remarqua également qu'il claquait des dents et tremblait. Probablement à cause du froid. Sa combinaison était déchirée à plusieurs endroits et ne lui offrait plus aucune isolation contre l'eau glacée. Elle sentit des larmes couler sur ses joues frigorifiées.

— Audric, reste éveillé! Je suis à tes côtés. Je vais te sortir de là. N'aie pas peur! Je ne t'abandonne pas! Respire bien. Je vais tenter de trouver une sortie de secours. Je reviens tout de suite... Accroche-toi!

Elle devait ramener Audric à la surface, elle le savait. Elle comprit également qu'elle venait de perdre la course. Elle haussa les épaules, surprise elle-même de son attitude, mais la vie de son ami était bien évidemment plus importante qu'un trophée, si prestigieux soit-il.

Sans perdre de temps, en constatant qu'Audric commençait à s'engourdir et que la pupille de ses yeux était totalement dilatée, Vaiata plongea pour repérer une écoutille de sortie. Heureusement, elle en trouva une à quelques mètres à peine. Après d'immenses efforts pour le sortir de l'eau, le jeune homme se retrouva hors de danger et au sec, et la plongeuse se demanda un instant si elle devait ou non poursuivre l'épreuve.

Je dois finir, même si je termine dernière. J'aurai au moins la satisfaction d'avoir fait l'épreuve. Je vais devoir y aller tranquillement, car je suis vidée... Allez, go !

Vaiata se remit à l'eau. Elle s'engouffra dans une nouvelle galerie et déboucha quelques mètres plus loin sur une vaste salle où cinq ouvertures sombres s'ouvraient en un demi-cercle devant elle. Aucune indication nulle part. Assurément, elle se retrouvait dans l'épreuve de réflexion, la troisième et dernière de la course. Elle scruta les cinq entrées à la recherche d'indices, quand elle aperçut des inscriptions en relief sur le pourtour de la galerie. Une précaire lumière était fixée à la paroi et éclairait faiblement l'énigme. Elle s'approcha pour constater que ces gravures formaient une phrase écrite en runes qu'elle traduisit ainsi :

UNE SEULE DE CES GALERIES MÈNE À LA
VICTOIRE, LES AUTRES TE PERDRONT.
CHOISIS LA ROUTE QUI SE TROUVE ENTRE
L'ORIENT DU FONDEMENT ET L'OCCIDENT
DE LA FIN.

Une énigme! Mince, c'est plutôt Abrial qui saurait la résoudre. Bon, réfléchis, Vaiata, tu n'es pas si stupide que ça. Et si Gwen a trouvé, même Marélie qui n'a que huit ans y parviendrait. Choisis la route qui se trouve à l'orient du fondement, bon l'orient, c'est l'est, mais le fondement? Le fondement, c'est la base... La base de quoi? J'ai cinq ouvertures, laquelle peut représenter la base?

Vaiata regardait les passages un à un, se questionnant sur chacun d'eux. *Le seul qui me semble pouvoir être la base de quelque chose serait celui du milieu. Le milieu, le centre... Oui, c'est ça, le centre, c'est le noyau, le noyau est la base de toute chose. Maintenant, je dois trouver l'occident de la fin. L'occident représente l'ouest... L'ouest de la fin, allons-y simplement et imaginons que la fin soit la limite de cette série: l'ouest serait donc à droite de la dernière ouverture. Donc, je résume: l'orient du fondement correspondrait à l'est, c'est-à-dire à droite du centre, et l'occident de la fin serait la gauche de la fin de cette série. Donc l'avant-dernière porte serait la bonne!*

Vaiata remonta prendre de l'air avant de se décider à franchir l'ouverture choisie.

Il faut en choisir une de toute façon, allons-y pour celle-ci... conclut-elle en enfilant la sombre galerie.

Vaiata nageait lentement, incertaine de son choix, et cela faisait maintenant plusieurs minutes qu'elle avançait dans le noir lorsqu'elle déboucha dans une autre salle qui offrait deux autres ouvertures. La jeune plongeuse examina attentivement les lieux à la recherche d'indices, mais rien. La nudité des parois lui confirmait qu'elle s'était trompée de porte la première fois. Elle voulut faire demi-tour lorsqu'elle remarqua que, derrière elle, s'ouvraient également deux autres passages dont un à demi-caché. Mais par où était-elle arrivée?

La plongeuse hésitait, jetant un coup d'œil aux deux accès, cherchant un détail pouvant lui indiquer par quel passage elle était entrée dans la salle.

Choisis, allez! s'impatientait-elle.

Mais Vaiata ne parvenait pas à prendre de décision et, pendant une seconde, une légère panique la saisit devant son ignorance et à la pensée qu'elle était probablement perdue. Si elle choisissait le mauvais chemin, elle risquait de s'enfoncer encore plus dans ces galeries.

La plongeuse commençait également à ressentir le froid à travers sa combinaison; cela devait faire presque une heure qu'elle était en plongée et la température de l'eau devait se situer autour de trois ou quatre degrés Celsius. Les combinaisons étaient exceptionnelles pour de telles conditions, mais pas totalement isolantes.

Elle inspira et expira plusieurs fois, profondément, pour se donner plus de courage et pour se calmer avant de replonger et d'emprunter le sas qui s'ouvrait devant elle. Elle estima qu'elle devait nager de trois à quatre minutes environ avant de déboucher dans la cavité où se trouvait la nouvelle énigme. Si ce temps se prolongeait, c'était assurément qu'elle avait choisi le mauvais tunnel.

Vaiata arriva effectivement dans une autre salle, mais pas celle escomptée. Faiblement éclairée par la luminescence naturelle du phosphore que dégageaient les parois, la grotte offrait une certaine luminosité, faible, mais tout de même suffisante pour que Vaiata s'aperçoive qu'elle ne se trouvait pas dans la salle de l'énigme. D'ailleurs, il n'y avait pas d'erreur possible, le lieu était totalement différent de l'autre.

Elle allait faire demi-tour pour faire le chemin inverse et reprendre le tunnel jusqu'à la seconde ouverture, quand quelque chose retint son attention. Dans la pénombre se dessinait une forme qui semblait trop régulière. Un contour qui n'avait rien de naturel et ne ressemblait surtout pas à ce que l'on s'attend à trouver dans le fond de l'océan. Regardant plus attentivement, elle distingua des marches grossièrement sculptées dans le roc. Elles émergeaient de l'eau pour se diriger vers un renfoncement qui se perdait dans les ténèbres. Vaiata plissa les yeux tout en s'avançant lentement. Sans sortir de l'eau, de toute façon cela lui était impossible à cause de sa queue caudale, elle s'efforça de jeter un coup d'œil vers l'ouverture, par laquelle elle apercevait maintenant une faible lumière verdâtre qui filtrait.

C'est étrange, on dirait que ça mène quelque part...

Vaiata se hissa à la force de ses bras sur les premières marches, tout en s'étirant de son mieux pour regarder par l'orifice. À sa grande stupéfaction, elle distingua dans la pénombre une rampe couverte de vert-de-gris, donc probablement faite de cuivre. Du bout des doigts, elle caressa le métal froid.

Était-ce à cause des lieux ou du froid qui commençait à la gagner, quoi qu'il en soit, la nageuse réprima un tremblement. Il lui fallait quitter les lieux, car bientôt le froid allait l'engourdir. En replongeant, elle se promit de revenir.

Après plusieurs minutes de nage, elle déboucha enfin sur la fameuse salle de l'énigme, et en émergeant par l'ouverture, elle comprit qu'elle avait lu l'énigme à l'envers. Vaiata aurait dû l'interpréter non pas de face, mais bien en lui tournant le dos, comme si quelqu'un la lui posait. Elle la relut encore une fois, assurée cette fois-ci de son choix. La jeune fille enfila donc la deuxième ouverture au côté ouest du pan. Elle nagea quelques secondes, dans la lumière, avant d'aboutir à l'ouverture grillagée qui donnait sur le quai d'arrivée de la course.

La plongeuse comprit alors que le trajet passait en partie sous l'Atlantide pour enfin la contourner. Elle se retourna pour bien mémoriser la route qu'elle venait de suivre, car elle voulait retourner à l'endroit qu'elle venait de découvrir. Elle ne savait pas encore quoi, mais quelque chose, là, au fond de ces eaux, avait capté son attention.

Abrial et Marélie l'attendaient, souriants et visiblement soulagés, sur le quai des arrivées. Heureux de la retrouver saine et sauve, car elle avait dépassé de beaucoup le temps sécuritaire de plongée. Ils l'accueillirent en l'enroulant dans une chaude couverture avant de l'aider à se débarrasser de sa nageoire caudale.

— Est-ce qu'Audric va bien ? s'empressa-t-elle de demander.

— Oui, oui, ne t'inquiète pas... Il va souffrir quelques jours de ses piqûres, mais il s'en sortira. Il te doit une fière chandelle. Si tu n'avais pas réagi promptement, il aurait eu bien du mal à remonter jusqu'à la sortie. Tu lui as sauvé la vie, lança Abrial avec une fierté non dissimulée.

— Ouais ! Et cela t'a coûté la victoire, renchérit Marélie.

Vaiata lui sourit, ce qui surprit la fillette.

— Ç'a peu d'importance, mon petit poulpe doré...

Marélie regarda sa grande sœur avec une grande admiration, puis sans lui laisser le temps de se mettre debout, elle l'enlaça avec force. Vaiata, surprise à son tour, la serra tendrement.

Abrial, heureux du spectacle, n'en était pas moins surpris. Le regard attendri, il s'interrogea tout de même sur ce subit changement d'attitude chez sa jumelle.

— Qui a gagné ? Gwen, je suppose ? lança-t-elle tout de même en grimaçant.

— Eh bien non ! C'est Ausias qui remporte la Palme cette année.

— Ausias ? Eh bien !... Je suis très heureuse pour lui, depuis le temps qu'il travaille pour y parvenir. Vraiment, je préfère que ce soit lui plutôt que Gwen...

— Tut ! tut ! tut ! Pas très sportif comme réflexion, ça, lança Abrial.

— Peut-être, mais je le pense vraiment !

— Si tu n'avais pas aidé Audric, tu aurais remporté cette victoire, cette année encore...

— Peut-être... Peut-être...

Elle allait lui faire part de sa découverte lorsqu'elle entendit l'entraîneur hurler son nom. Réajustant la couverture sur ses épaules, elle s'avança vers les estrades, où tout le monde attendait la remise du trophée au vainqueur. Il ne manquait plus qu'elle pour commencer la cérémonie de la Palme d'orichalque, puisque les derniers plongeurs étaient remontés depuis plusieurs minutes déjà. Vaiata terminait donc la course dernière. Les murmures l'accompagnèrent sur son passage et plusieurs la félicitèrent. La voix grave du maître-nageur Warin s'enfla pour couvrir les chuchotements et les bavardages.

— Vaiata Cornwall, approchez...

La plongeuse s'avança un peu plus près de l'estrade d'honneur, où déjà le vainqueur attendait avec fierté de recevoir le précieux trophée et tous les honneurs qui allaient avec. Son bonheur faisait plaisir à voir et la jeune fille en fut réellement ravie.

Du moins, pensa-t-elle, *je suis heureuse que la victoire ne revienne pas à Gwen.*

— Nous tenons d'abord à vous féliciter d'avoir su faire passer les intérêts d'un autre avant les vôtres, commença le maître-nageur. Sans votre aide et votre promptitude à réagir, votre coéquipier Audric Copper aurait éprouvé de sérieuses difficultés à s'en sortir seul. Vous êtes la preuve que cette course est une compétition faite pour des gens de courage et de volonté. Toutes nos félicitations, mademoiselle Cornwall, vous faites l'orgueil de cette compétition.

Une fillette cachée par un immense bouquet de lys de mer s'approcha de Vaiata. La plongeuse prit les fleurs en remerciant la gamine, visiblement intimidée.

— Quant à vous, monsieur Ausias Osaka, enchaîna le superviseur-entraîneur, vous êtes le vainqueur de cette trente-septième épreuve d'aqualtisme. C'est avec tous les honneurs qui vous sont dus que nous vous remettons la Palme d'orichalque de l'aqualtisme. Félicitations!

Le plongeur reçut le trophée comme on reçoit un trésor inestimable. Son visage rayonnait de plaisir et sa joie se lisait dans les larmes qu'il versait. Vaiata se fit la réflexion que le jeune homme méritait bien cet honneur. Depuis plusieurs années maintenant, il travaillait très fort lors des entraînements. Sa récompense n'était pas volée, et puis, ce n'était pas Gwen qui remportait la victoire et ça, c'était, aux yeux de

Vaiata, une récompense en soi. Elle apprit plus tard par Abrial que Gwen s'était lui aussi perdu au cours de la dernière épreuve, et qu'il avait fini par essayer toutes les possibilités avant de tomber par hasard sur la bonne ouverture. Cette anecdote la fit bien rire.

CHAPITRE 6

Abrial avait demandé à Vaiata de l'accompagner, le temps d'une promenade qui devait les mener à travers les rues calmes et pavées de granit rouge de la cité. Ils avaient laissé Marélie au soin de Mme Gloguen, s'assurant ainsi qu'elle ne viendrait pas les importuner pendant leur balade qui, en réalité, devait leur servir à faire le point sur leurs recherches, à l'abri des oreilles indiscrètes.

L'idée venait d'Abrial et il en était assez fier. Ils usaient de beaucoup de stratagèmes pour éviter les apparitions toujours malvenues de l'hologramme-superviseuse. Mais avant qu'il n'ait le temps de dire à sa jumelle ce qu'il avait trouvé à la bibliothèque et ses certitudes, celle-ci, trop empressée, ne le laissa pas parler et se lança aussitôt dans un déluge de paroles.

— Lorsque j'étais sous l'eau, la dernière épreuve consistait à choisir sur cinq possibilités le passage menant à la victoire. Et comme tu le sais, je me suis trompée, mais ce que je ne t'ai pas encore dit, car je n'en ai pas eu l'occasion, c'est que j'ai découvert quelque chose d'assèz étrange. Je ne sais pas encore ce que c'est, car je ne pouvais me déplacer à cause de ma nageoire caudale, mais j'ai l'intime conviction que cet endroit a un lien avec notre histoire.

— Que veux-tu dire, un lien avec notre histoire? s'enquit Abrial les sourcils arqués, soudain très intéressé par ses propos.

— Je ne sais pas! À vrai dire, cette conviction tient plutôt du pressentiment... de l'intuition. Tu sais, parfois on a la certitude d'une chose sans en avoir forcément la preuve, eh bien, c'est ce que je ressens, une certitude.

— Qu'as-tu vu exactement?

— Au bout d'une étroite et longue galerie, j'ai débouché sur une grotte bien ordinaire à première vue, mais lorsque j'ai voulu faire demi-tour, j'ai remarqué quelque chose au bout de cet aven*. Oh, rien de bien extraordinaire, une faible, très faible lueur, mais assez lumineuse pour capter mon attention. Je me suis approchée et c'est là que j'ai vu dans la pénombre quelques marches grossièrement sculptées et un peu plus haut, comme pour aider à les monter, une rampe de métal. Elle semblait faite de cuivre... Le tout paraissait très vieux, un peu comme les épaves que nous allons visiter... La rampe était recouverte de vert-de-gris et les marches, d'algues et de glaise. Si je n'avais pas eu ma queue... Nous devons y retourner, Abrial! J'ai le sentiment que ces marches ont un lien avec nos recherches. Tu dois voir ça...

— Je dois voir ça?

— Oui, nous allons effectuer une plongée, j'ai bien repéré les lieux, je retrouverai le chemin sans problème...

— Mais Vaiata, je n'ai pas ton expérience de plongée...

L'adolescente le dévisagea avant de lui demander:

— Aurais-tu peur, par hasard?

Abrial détourna son regard, comme si son attention était attirée par quelque chose au loin.

— Bien, disons que... Tu sais bien que je n'ai jamais été très bon dans ce domaine...

— Ça n'a aucune importance. Je ne te demande pas de participer à l'épreuve de la Palme, mais de me suivre. Je serai continuellement à tes côtés, je te le promets!

— Mais...

— Il n'y a pas de mais! Nous allons effectuer cette plongée demain matin, comme il nous arrive parfois d'en faire. Il t'est très souvent arrivé de nous accompagner en plongée, alors que nous allions explorer les alentours, eh bien, c'est la même chose!

— Oui, mais là tu me demandes de te suivre dans les zones crépusculaires...

— Tu y arriveras, j'en suis convaincue. Ces grottes ne se trouvent pas au même niveau que la première partie de l'épreuve. Elles ne sont qu'à quelques mètres d'ici, tout au plus une centaine de mètres !

Abrial ne répondit rien et pourtant il mourait d'envie de lui dire non. Il n'avait jamais aimé la plongée. Les profondeurs, la noirceur et le froid, brrr ! Très peu pour lui. Il se rappelait à quel point les cours de natation qu'il devait suivre comme le faisait Marélie étaient pour lui, à l'époque, une véritable corvée. Chaque soir, il priait pour que l'hologramme de M. Warin tombe en panne. D'un autre côté, ce que venait de lui dire sa sœur l'intriguait assez pour l'encourager à tenter l'aventure. Après tout, ce n'était qu'une simple plongée, après ils remonteraient et tout serait terminé. D'un signe de tête, il lui fit comprendre qu'il acceptait. La jeune fille, heureuse, accrocha son bras à celui de son frère.

— Allons voir Audric, je veux lui rendre visite...

Abrial la dévisagea un instant, scrutant attentivement son regard, avant de lui demander avec une certaine tendresse dans la voix :

— En serais-tu amoureuse ?

La question était si soudaine que Vaiata en resta bouche bée. Elle détourna les yeux, intimidée par les propos de son frère, puis replaça machinalement une mèche de ses cheveux blonds. Elle cherchait une réponse, s'interrogeait, mais rien. Elle était incapable de répondre à son frère.

Celui-ci ne chercha pas à profiter de l'occasion pour la narguer, il lisait trop bien sur son visage tout le chamboulement qu'il venait de provoquer en elle. Plusieurs secondes passèrent. Abrial semblait absorbé par la contemplation d'un bâtiment de pierres blanches, finement sculptées, au toit orné d'une série de statues à l'effigie de plusieurs animaux mythiques. Cette observation fit sourire le jeune homme et lui fournit tout naturellement son prochain sujet de conversation.

— Moi aussi, j'ai des choses à te dire, commença-t-il pour ramener sa sœur à d'autres préoccupations. J'ai parcouru attentivement les autres textes du livre qui nous intéresse. À mon avis, il n'y a que le premier extrait qui nous était spécialement destiné. Les autres récits nous sont déjà connus, et il s'agit des contes ordinaires pour enfants sages. Du moins, c'est ce que j'en pense.

— Je fais confiance à ton jugement là-dessus !

Abrial releva encore une fois la tête vers le haut des bâtiments.

— Magnifiques, ces sculptures, n'est-ce pas ?

Vaiata suivit son regard pour admirer les représentations figées de ces animaux irréels.

— Je trouve étonnant que nous vivions ici depuis toujours, et que nous n'en ayons jamais remarqué la beauté, ajouta Abrial.

— Que me racontes-tu là ? Bien sûr, que nous connaissons ces statues... Je les ai maintes fois regardées et je les ai toujours trouvées magnifiques...

— Nous les connaissons, comme tu dis, mais as tu déjà réellement regardé avec attention tous les détails ?

Vaiata reporta son regard vers le haut de la bâtisse, sans répondre, cherchant à découvrir où son frère voulait en venir.

— Lorsque je suis allé à la bibliothèque, poursuivit-il, j'ai découvert quelque chose de très intéressant et qui semble avoir un lien avec ce qui nous intrigue.

Vaiata replongea son regard marine dans celui de son frère, mais déjà ce dernier l'entraînait ailleurs.

— Nous ne devons pas attirer l'attention, marchons !

— Je crois avoir trouvé un début de réponse dans toute cette étrange histoire. Par mes lectures et avec mon fin esprit d'analyse —

Vaiata lui jeta un regard moqueur —, j'en ai déduit que l'on nous cachait certaines choses sur nos origines. Et tiens-toi bien, je suis sûr que les légendes portant sur une vie terrestre sont peut-être plus authentiques que nous ne le pensons.

— Quoi ? s'écria Vaiata, attirant le regard de quelques Atlantes qui circulaient autour d'eux.

— Depuis que nous sommes enfants, poursuivit Abrial sans s'arrêter à la réaction de sa sœur, on nous berce d'histoires incroyables sur nos origines extraordinaires, sur notre descendance d'un dieu, mais nous nous doutons tous, et ce, depuis toujours, que ces explications n'ont rien de réaliste, qu'elles nous laissent sur notre faim...

— Tout à fait d'accord !

— Tout Atlante, poursuivit Abrial, quel qu'il soit, et peu importe son intérêt pour le sujet, concédera en riant que ces histoires ne tiennent pas debout. Et pourtant, elles meublent notre quotidien, nous vivons avec...

— Dans ce cas, pourquoi personne ne s'en soucie davantage ?

— C'est là toute la question ! Pourquoi ne cherche-t-on pas plus avant pour obtenir des explications plus logiques ? Pourquoi nous satisfaisons-nous de ces pauvres fables qui ne parviennent même pas à contenter la curiosité des enfants ? Serions-nous à ce point conditionnés par notre vie quotidienne que nous en oublions ces paradoxes ?

Vaiata dévisageait son jumeau, incapable de répondre et surprise de son discours si réfléchi, mais Abrial poursuivit son raisonnement sans lui prêter attention.

— Ce livre nous a été envoyé par quelqu'un qui souhaite que nous nous questionnions sur ce qui nous entoure, et surtout que nous trouvions des réponses. Pourquoi ? Je ne le sais pas encore, mais ce que je sais, c'est que par mes lectures j'ai compris que cette histoire, la première du livre *Les Espoirs perdus*, n'en est pas réellement une. Non. Elle est une explication à ce qui s'est réellement passé. Ce n'est pas un conte, mais bien un texte relatant des événements réels, passés. Et quand je parle de passé, je suis persuadé que ce n'est pas si lointain que ça, crois-moi. Tu viens de remarquer comme moi l'architecture qui nous entoure ? Ces détails mythologiques sont partout... Qui les a construits, dis-moi ?

Vaiata souleva ses charmantes épaules en signe d'impuissance.

— Je n'en sais rien... souffla-t-elle, en jetant des coups d'œil autour d'elle.

— Nous sommes comme tout le monde ici. Nous connaissons tous ces sculptures et cette architecture, mais nous ignorons qui les a dessinées, sculptées, construites et érigées. Certainement pas Poséidon, en tout cas ! As-tu déjà remarqué que le plafond de la bibliothèque représente une voûte céleste ? Pourquoi crois-tu qu'un ciel parsemé d'étoiles se trouve au-dessus de nos têtes, depuis toujours ? Alors que les seules étoiles que nous connaissons ici, ce sont des étoiles de mer. Comment expliques-tu la présence de toutes ces représentations légendaires que nous trouvons si romantiques ?

Vaiata haussa encore une fois les épaules, incapable de répondre et réellement surprise de découvrir chez lui un tel esprit critique.

— Parce que ça représente la réalité, Vaiata, tout simplement ! Nous vivons sous l'eau depuis notre naissance mais, ajouta-t-il en hésitant et en baissant le ton, je suis persuadé qu'il existe un monde terrestre.

Cette fois, la jeune fille ouvrit de grands yeux incrédules. Ils s'étaient arrêtés de marcher et elle fit face à son frère, légèrement plus grand qu'elle.

— Te rends-tu compte de ce que tu dis, Abrial ?

Le garçon lui répondit par un sourire amusé.

— Tout à fait et, crois-moi, je ne suis pas fou ! Les preuves sont là sous nos yeux depuis toujours, mais nous ne les voyons pas. Même Marélie soupçonne une autre vérité. Elle ne peut l'exprimer clairement, mais malgré son jeune âge, elle devine une autre réalité que celle dans laquelle nous vivons. Et puis, sœurette, comment expliques-tu le dessin qu'elle a trouvé, comme par hasard, déposé là dans son pupitre ? Comment expliques-tu le livre que nous avons reçu ? Et puis toi-même, tu me parles d'une grotte étrange, là sous nos pieds. Regarde autour de nous, Vaiata, tout semble converger pour me donner raison. J'ai une autre preuve pour toi : la broche de Coralie. Sais-tu ce qu'elle représente ? Vaiata secoua la tête en signe d'ignorance. Elle représente un cheval, et cet animal fait partie de la faune terrestre. Et devine quoi ? C'est le symbole de Poséidon sur terre ! Sur terre, Vaiata, sur terre... Comprends-tu ce que cela signifie ?

— Par Hadès ! Je ne peux y croire, c'est tellement... C'est... Selon toi, il existerait un autre monde que le nôtre ? Le ton de sa voix était grave et à peine audible.

— Je le crois, oui, affirma Abrial, en lui serrant la main.

Le jumeau s'accouda de son bras gauche sur une barrière qui clôturait une place centrale où une immense statue de marbre blanc de Poséidon, dieu de la mer, semblait menacer les passants de son trident. Son énorme tête encadrée d'une épaisse chevelure en cascade, grimaçait. La position de ses bras musclés suggérait la force et le combat. L'attitude menaçante de la sculpture impressionnait toujours les enfants, qui passaient devant presque en courant.

Vaiata prit la même position que son frère, sans lui lâcher la main, et pendant de longues minutes, ils scrutèrent l'effroyable effigie du dieu, qui à leur âge avait presque cessé de les effrayer. La jeune fille remarqua alors, comme pour donner raison à son frère, que le dieu foulait de son pied droit une marche qui sortait de l'eau et sur laquelle on pouvait distinguer les pattes avant d'un minuscule cheval qui y prenait également appui. Elle se tourna vers son jumeau qui, elle le pressentit à l'intensité de son regard, avait également vu l'animal.

— Qu'est-ce que je te disais ! lança-t-il avec un clin d'œil.

— Comment se fait-il que nous ne l'ayons jamais remarqué auparavant ?

— Parce qu'il fait partie de notre vie quotidienne depuis toujours, tout comme la table de notre cuisine, les rues que nous empruntons, les édifices qui nous entourent et le reste. On les voit sans les remarquer réellement.

Vaiata jouait nerveusement avec une mèche de ses cheveux blonds, qu'elle faisait glisser en boucle sur son index. Abrial sortit de sa poche une feuille sur laquelle le texte du livre avait été retranscrit. Presque dans un murmure, il lut :

— « *Pour contrer l'inévitable, pour sauver son avenir, l'Homme mit en œuvre l'inimaginable. Le début de cette ère nouvelle fut marqué par un événement inoubliable, qui demeurera dans les mémoires jusqu'au dernier jour. L'Homme engendra une île pour la sauvegarde de son avenir...* »

Abrial reporta son regard vers celui de sa sœur qui le regardait sans comprendre. Le jeune homme s'aperçut, en l'observant de ses yeux profonds, que Vaiata cheminait lentement dans ses propres pensées. Cheminement qu'il avait lui-même suivi à la bibliothèque.

— Cette partie du texte, je l'ai comprise ainsi, poursuivit-il. Il serait ici question d'un fléau qui se serait propagé sur la surface de la Terre, et de la naissance d'une Terre Nouvelle qui aurait servi à la sauvegarde de l'avenir de ce peuple. Elle serait probablement une solution trouvée pour contrer ce fléau.

— Attends, attends... Ne va pas si vite s'il te plaît, dit-elle en passant nerveusement son index droit sur son sourcil droit. D'après toi, l'Atlantide aurait été créée par des hommes vivant à la surface, c'est ça ?

Abrial acquiesça.

— Cette île aurait servi à sauvegarder leur avenir? — Nouveau hochement de tête de son jumeau. — Et qu'est-ce que ça veut dire: sauvegarder son avenir?

— Ça, je ne sais trop, c'est moins clair pour moi, mais nous allons trouver, fais-moi confiance...

Plusieurs secondes s'écoulèrent tandis que les deux jeunes fixaient attentivement la statue de leur « père », ce dieu tout-puissant qui régnait en maître sur les eaux et sur leur vie. Un cri déchirant s'éleva derrière eux: une petite fille, tenue par la main par un jeune adolescent, hurlait à pleins poumons en détournant la tête pour éviter de regarder l'effigie menaçante.

Cette scène renvoya Abrial à ses propres souvenirs. Il se revoyait enfant, pétrifié devant la statue, comme Vaiata le fut et comme Marélie l'était encore. Les Atlantes devaient emprunter l'immense place pour se rendre aux Communs. Le jeune homme se demanda un instant si la présence terrifiante de la statue n'était pas volontaire, pour les maintenir dans un certain état d'obéissance.

— Que faisons-nous maintenant? demanda enfin Vaiata, d'une voix inquiète.

— Je ne sais trop... Continuons nos recherches et demain nous irons effectuer cette plongée... Une chose est claire en tout cas, nous ne pouvons plus faire machine arrière. Nous devons aller jusqu'au bout...

— En espérant que tout cela ne tienne pas que du délire! conclut la jeune fille en échangeant des regards soucieux avec son frère.

Abrial passa son bras autour des épaules de sa jumelle pour tenter de la rassurer.

— Et si nous allions rendre visite à Audric, maintenant. Ça nous changerait les idées, et puis ça le réconforterait sûrement de te voir, lança-t-il en souriant d'un air narquois.

Vaiata allait riposter par quelque chose de mordant, mais elle préféra se taire, se contentant de sourire. L'idée qu'elle puisse plaire à Audric ne lui était, somme toute, pas si désagréable que ça.

— Nous n'irons pas très loin, maître Warin. Nous allons faire simplement de la plongée aux alentours.

— Ce n'est pas à vous, mademoiselle Cornwall, que je devrais rappeler que vous devez remonter dans une heure.

— Nous serons très prudents, maître Warin. En plongée, je ne perds jamais de vue les consignes de sécurité. Vous pouvez être rassuré. Et puis ne suis-je pas votre meilleure élève? lança-t-elle sur un ton des plus charmeurs.

— Fort bien, mademoiselle Cornwall, mais la mièvrerie ne vous mènera nulle part. Il ne me reste qu'à vous souhaiter une bonne plongée, à tous deux.

L'hologramme disparut aussitôt et Vaiata fit un clin d'œil à son frère qui demeurait étrangement silencieux. L'adolescente comprit que ce silence exprimait toutes les réticences d'Abrial à effectuer cette plongée.

— Ne t'inquiète pas, tout ira bien... Es-tu prêt? Si jamais tu ne te sens pas bien ou si tu éprouves des maux de tête, fais-moi signe. Nous remonterons aussitôt. Ça te va?

— Ai-je le choix?

— Non!

— Alors allons-y, avant que je change d'idée!

Abrial et Vaiata se laissèrent glisser dans l'eau froide. La froideur les saisit un peu durant les premières secondes, mais rapidement la chaleur de leur corps pallia la différence de température en réchauffant la couche d'air entre leur peau et leur combinaison thermique.

Vaiata fit signe à son frère de la suivre et lentement ils descendirent de quelques mètres dans les profondeurs de l'océan. Pour s'éclairer, les plongeurs avaient des lampes luminescentes frontales qui projetaient devant eux une lumière blanche, très claire.

Vaiata refit le parcours effectué deux jours auparavant, et ce fut sans difficulté qu'elle parvint à retrouver son chemin. Avant de pénétrer dans les grottes, elle consulta son frère du regard. D'un sourire accompagné d'un geste de la main, il lui fit signe d'entrer. Il leur fallut une bonne quinzaine de minutes avant de se retrouver devant l'ouverture de la fameuse grotte. Juste avant de s'y engouffrer, ils refirent surface pour reprendre leur souffle. La cavité dans laquelle ils se trouvaient possédait, comme l'avait déjà expérimenté la plongeuse, une importante poche d'air.

— Nous y sommes, lança-t-elle à Abrial qui soufflait bruyamment. Tu n'es plus habitué à retenir ton air aussi longtemps, ça se voit, tu es rouge comme une anémone.

— J'ai l'impression que ça fait des années que je n'ai pas pratiqué la nage en apnée aussi longtemps. Pourtant, plus jeune, je pouvais tenir vingt minutes facilement...

— Tu vieillis, mon cher, tu vieillis ! se moqua sa jumelle. Nous devons faire vite, il nous reste moins d'une quarantaine de minutes avant de commencer à ressentir le froid. Nous ne devons pas oublier de calculer le temps de remontée.

— Tu as raison, allons-y !

Ils replongèrent aussitôt pour s'engouffrer dans le long couloir étroit qui débouchait sur la fameuse salle découverte par Vaiata. Les deux adolescents refirent surface presque en même temps.

La jeune fille se hissa sur les premières marches, pendant que son frère l'aidait à se défaire de sa nageoire caudale.

— Voilà, c'est ici! confirma-t-elle d'un signe de la main en désignant l'ensemble de la grotte.

Abrial, débarrassé également de sa queue, posa ses pieds nus sur la première marche de pierre. Il tendit la main à sa sœur.

— Suis-moi! Allons voir où cela mène...

Avec précaution, ils remontèrent lentement les marches glissantes, se tenant à la rampe qui, malgré son aspect vétuste, tenait encore solidement à la paroi sur laquelle elle était fixée. Une forte odeur d'iode et de moisissure remplissait l'air, et les jumeaux remarquèrent sur leur parcours des agglomérats de coquillages. Certains semblaient figés là depuis fort longtemps.

— L'eau doit monter jusqu'ici selon les périodes, suggéra Abrial à Vaiata, qui avait décroché un des mollusques pour le regarder de plus près.

— Tu ne t'es jamais demandé comment il se faisait que nous retrouvions, ici et là, des grottes qui ne sont pas totalement immergées et qui forment des poches d'air, alors que nous vivons sous l'océan?

— Non, jamais, toi?

— Très souvent! Et je n'en ai pas encore trouvé l'explication...

— Si nous nous fions aux légendes concernant Atlantide, elle était en surface, il y a bien longtemps, non? — Vaiata lui confirma ses propos d'un signe de tête. — Eh bien, il ne serait pas surprenant qu'en s'engouffrant dans l'eau, l'air de certaines grottes ait été emprisonné.

— Ouais, plutôt boiteuse, ton explication...

Ils venaient d'arriver sur une surface plane que l'on pourrait qualifier de palier. Sur quelques mètres, les marches s'arrêtaient, reprenant leur montée un peu plus loin.

— Jusqu'où allons-nous comme ça? demanda Vaiata qui suivait toujours son frère de près.

— J'aimerais bien le savoir...

Pendant presque dix minutes, ils continuèrent leur escalade, sans trouver rien d'autre que ces marches grossièrement taillées qui constituaient une montée difficile. Enfin, ils arrivèrent devant une porte faite de bois épais. Elle était couverte de charnières et de traverses de métal rouillées. Abrial et Vaiata s'observèrent un instant, silencieux.

— Jolie porte ! Qu'est-ce qu'on fait maintenant ? demanda le frère.

— Ben, on ouvre... suggéra la sœur, comme si c'était l'évidence même.

— Nous ignorons ce qui se trouve derrière...

— Très juste, tu es toujours si perspicace ! lança-t-elle en secouant la tête. Je pense que pour le découvrir, il n'y a qu'un seul moyen...

Sans attendre de réponse, la jeune fille appuya sur la porte, qui résista. Abrial se mit de la partie. Ils durent déployer toute leur énergie pour parvenir à la faire bouger, enfin. La lourde porte s'ouvrit sur quelques centimètres, en grinçant et en protestant haut et fort contre cette intrusion. Abrial, qui avait éteint sa lampe, passa le premier la tête, mais il ne voyait rien, tellement il faisait noir. Rallumant sa lampe, le garçon passa l'entrée, aussitôt suivi de sa sœur.

Effectuant un tour complet sur eux-mêmes, les jumeaux découvrirent qu'ils se trouvaient dans un couloir pas très large, totalement vide, mais qui se divisait en deux, pour prendre des directions parallèles. Les murs humides étaient faits de moellons gris et non plus de roc, et en face d'eux se trouvait une autre porte.

D'un signe de tête, confirmant leur assentiment commun, ils se dirigèrent aussitôt vers cette nouvelle porte. Elle s'ouvrit avec plus de facilité vers l'extérieur. Par l'entrebâillement, ils reçurent en plein visage une vive lumière qui, pendant une seconde, les éblouit. Lorsqu'ils furent accoutumés à l'éclairage, Vaiata et Abrial découvrirent avec ahurissement qu'ils se trouvaient dans ce qui ressemblait à une salle d'archives, une réserve. Celle de la bibliothèque ! Non pas au rez-de-chaussée, où se trouvaient les salles d'études, les livres et les élèves studieux, mais au sous-sol, où l'on gardait enfermés à double tour certains livres et textes interdits.

— Je connais ce lieu, murmura-t-il à sa jumelle. Nous sommes dans les soubassements de la bibliothèque.

Il posa son index sur ses lèvres pour lui faire comprendre de se taire. Abrial savait que les lieux étaient sous haute surveillance.

Il connaissait, effectivement, très bien l'endroit, pour avoir maintes fois imploré, auprès de la superviseuse-bibliothécaire, l'autorisation d'y pénétrer. Chaque fois, sa demande avait été refusée, et c'est à travers les solides barreaux qui en interdisaient l'accès que le jeune homme rêvait à ces textes et à ces écrits interdits.

Abrial saisit la main de sa sœur pour l'entraîner vers un renfoncement obscur. Jetant un coup d'œil anxieux autour d'eux, il chuchota :

— Nous sommes dans la section interdite de la bibliothèque. Stric-te-ment in-ter-di-te. Je ne connais personne qui y ait déjà mis les pieds. Nous devons être très prudents, car si Mme Crestina détecte notre présence, je crains que nous n'ayons de graves ennuis. Viens ! Partons d'ici...

Dans un silence extrême, il entraîna sa sœur vers la porte par laquelle ils venaient d'arriver, et la referma doucement sur eux.

— Pourquoi partons-nous ? demanda-t-elle une fois dehors. Pour une fois que tu peux fouiner à ton aise... Vas-y, tu en rêves depuis si longtemps...

— J'en meurs d'envie, Vaiata, mais ce n'est pas possible. Réfléchis une seconde. Nous serions aussitôt repérés et comment expliquer notre présence ici ? J'ignore les conséquences que ça entraînerait, mais je suppose que nous aurions de graves ennuis. Et puis, nous n'avons pas terminé notre visite des lieux. Si nous étions découverts, ils nous seraient à jamais interdits. Sois sûre que l'entrée de la grotte serait condamnée. Non ! Nous reviendrons plus tard. Pour l'instant, je veux savoir où mènent les autres couloirs... — Vaiata acquiesça, lui donnant ainsi raison. — Nous prenons à gauche ou à droite ?

— À droite, suggéra la jeune fille qui déjà se mettait en marche.

— Je te suis... C'est vraiment excitant, tu ne trouves pas ?

— Hum ! se contenta de répondre Vaiata, en éclairant les murs devant elle.

Ils longèrent les murs humides quelques minutes avant de déboucher sur une autre pièce également fermée d'une porte de bois similaire à la première, tout aussi lourde et bardée de métal. Un écriteau de cuivre piqueté de taches de corrosion affichait : *Salle des machines*. La calligraphie en semblait fort ancienne. Abrial passa lentement ses doigts sur les caractères, avant de pousser la porte, qui grinça légèrement mais qui se laissa faire.

L'intérieur de la salle était partiellement éclairé d'une lumière jaune, diffusée par des lampes, illuminant des mécaniques complexes d'étranges machines alignées sagement, l'une à côté de l'autre. La pièce était vaste et haute, et il y régnait une drôle d'ambiance. Un léger ronron provenait des appareils et en signalait le fonctionnement.

— Tous ces appareils paraissent si vieux... lança-t-il en refermant doucement la porte derrière eux.

Certains étaient faits avec des métaux que les jeunes ne connaissaient pas, d'autres paraissaient presque amusants tant leurs formes étaient étranges.

— Qu'est-ce que c'est que tout ça? s'étonna Vaiata, en s'avançant vers un engin de laiton constitué de tuyaux et d'une pompe.

— Je n'en sais rien. Je n'arrive même pas à imaginer à quoi peuvent servir toutes ces machines. C'est tellement étrange comme lieu... Regarde!

Curieuse, Vaiata s'approcha de son frère. L'adolescent tenait entre ses mains une série de feuilles reliées entre elles. Des graphiques, où étaient notés les noms des bâtiments de l'île, ainsi que des quartiers, précédaient une série de chiffres et de cases cochées à côté de codes composés de nombres et de lettres.

— On dirait des diagrammes, un peu comme ceux que l'on a en maintenance... Tu sais, comme lorsqu'on coche ce qui a déjà été fait...

— Oui, oui! Comme lorsqu'on vivait aux Communs, où nous avions des tâches à effectuer et, une fois faites, nous devions les cocher et mettre nos initiales à côté...

Les Cornwall se regardèrent sans trop comprendre l'utilité de ces feuilles.

— À quoi peuvent bien servir toutes ces machines et qui vient ici pour cocher ces cases?

— Je n'en sais fichtrement rien, et ce n'est pas maintenant que nous allons le découvrir, répondit Vaiata en désignant sa montre. Nous devons retourner si nous ne voulons pas éveiller les soupçons. Ça fait déjà une quarantaine de minutes que nous sommes partis, nous devons regagner l'île le plus vite possible...

— Zut! Je n'en ai pas envie... pas maintenant, implora Abrial. Il reste tant de choses à voir. Nous venons à peine d'arriver !

— Nous n'avons pas le choix, frérot, si nous tardons, M. Warin donnera l'alerte... Nous reviendrons, dès que se sera possible.

CHAPITRE 7

— Nous devons retourner là-bas, répétait sans cesse Abrial, qui ne pensait plus qu'à cela.

Depuis leur descente dans les profondeurs océaniques et leurs découvertes, il semblait constamment dans la lune. Plusieurs fois ses professeurs lui en avaient fait la remarque. Plus rien ne semblait l'intéresser, même ses amis s'interrogeaient à son sujet. Leur plongée remontait à quelques jours déjà, et il lui tardait de retourner là-bas, mais Vaiata affirmait qu'il fallait attendre pour ne pas éveiller les soupçons.

Le maître-nageur Warin les interrogerait à coup sûr s'ils essayaient trop tôt d'effectuer une autre plongée. Et puis, la dernière fois, ils avaient dépassé le temps réglementaire, ce qui avait valu à la jeune fille une solide réprimande et quelques points en moins sur son carnet de plongée. Ce qui l'avait profondément offensée. Non, ils devaient patienter et surtout, lui avait-elle dit pour clore le sujet, ils devaient trouver le moyen de plonger plus longtemps.

— Nous allons faire une sortie de nuit! lança-t-elle, comme prise d'une soudaine et géniale inspiration.

— De nuit? s'écria Abrial. Mais voyons, c'est impossible...

— Non, pas impossible, plutôt interdit! Ce n'est pas la même chose...

Abrial avait rejoint sa sœur dans le seul lieu où ils pouvaient espérer parler librement, dans la chambre de Vaiata, sous ses couvertures.

— Plus j'y réfléchis et moins je vois de solution pour retourner là-bas... Notre problème, vois-tu, c'est le temps. Lorsque nous plongeons, nous n'avons qu'une heure devant nous, c'est le même règlement pour tous. Au-delà de ce délai, Warin ameute aussitôt les autres plongeurs qui partent immédiatement à notre recherche. Je le sais, puisque je fais moi-même partie des équipes de secourisme. Nous devons être prêts en tout temps, comme tu le sais. Or, pour nous rendre à la grotte, remonter les marches jusqu'au couloir, nous perdons déjà vingt-cinq minutes, et ça, si nous nous grouillons. Nous devons également prévoir ce même temps pour le retour, ce qui nous laisse à peine dix minutes pour découvrir où mène l'autre couloir. C'est trop peu et complètement stupide d'effectuer une plongée si longue pour quelques minutes. Non, c'est même ridicule! Alors que si nous plongeons de nuit, sans prévenir personne, nous aurons le temps nécessaire, sans nous soucier de l'heure. Et puis, je ne risque pas de perdre de points, conclut-elle avec amertume.

— Mais si nous n'avons pas le droit de plonger de nuit, c'est probablement parce qu'il y a de bonnes raisons, non? bafouilla Abrial.

— Aurais-tu la trouille? le défia sa sœur.

— Moi? Mais pour qui me prends-tu? C'est bien mal me connaître que de dire ce genre de stupidité.

— Donc, tu es d'accord avec ma proposition?

— Et Marélie?

— Hum! eh bien, elle continuera de dormir, comme tout le monde...

Abrial tortillait le pan de son pyjama. Il comprenait que la solution de sa sœur était la seule possible, s'ils souhaitaient poursuivre leur visite des grottes. Et puis, sa curiosité était tellement forte. Il avait tellement hâte d'y retourner. Toutefois, l'idée de plonger de nuit lui paraissait plutôt dangereuse et cela mettait un frein à ses désirs. Il devait faire un choix, il le savait. Il sentait plus qu'il ne les voyait les yeux de sa sœur posés sur lui, attentifs à sa réponse. Intérieurement, il savait pourtant que Vaiata avait raison. Il avait, s'avoua-t-il, peur de plonger en pleine nuit. D'horribles histoires couraient sur des monstres des abysses qui remontaient en surface se nourrir, s'attaquant à tout ce qui se trouvait sur leur passage.

— Soit! se rendit-il enfin, nous plongerons de nuit, mais avant, nous devons nous assurer qu'il n'y aura pas d'imprévus...

— Ça, je ne peux te le garantir, frérot, surtout en plongée. C'est impossible. Je peux simplement te dire que je vais faire mon possible pour que tout se déroule en toute sécurité. Mais ne t'inquiète pas, je ne vois pas de problème majeur à cette descente, surtout que nous n'allons pas nous promener. Nous savons exactement où nous allons et le chemin à suivre qui, somme toute, ne présente pas vraiment de difficultés. Vaiata laissa planer un silence avant d'ajouter : Devrions-nous en parler à d'autres ?

— Que veux-tu dire par « en parler à d'autres » ? bougonna Abrial.

— Nous savons tous les deux que nos découvertes sont importantes, d'accord ? — Abrial acquiesça. — Et qu'elles vont aboutir sur quelque chose d'encore plus important. — Encore une fois, Abrial opina de la tête. — Les informations et les indices que nous avons trouvés à ce jour vont nous mener vers une grande révélation. Ne devrions-nous pas en faire part à d'autres, histoire d'avoir un autre son de cloche, d'autres points de vue ? Histoire aussi de ne pas nous retrouver seuls dans l'aventure ? Tu sais, il n'y a pas que nous qui nous interrogeons sur nos origines et sur notre présence dans l'île, nous ne pouvons garder pour nous seuls ce que nous savons...

— Et quand tu dis « à d'autres », tu penses à qui exactement ? l'interrogea son frère, incertain.

Audric, Naïs et Âdvèl...

— Et pourquoi eux plus particulièrement ?

— Parce que ce sont nos amis et qu'eux aussi se posent les mêmes questions...

— Hum ! je ne sais pas... Et si l'un d'eux nous trahissait ?

— C'est réellement l'opinion que tu te fais d'eux ? se rebella Vaiata. Honnêtement, je n'y crois pas... Et puis, nous dénoncer à qui ? Quand on y pense bien, on nous maintient presque dans un état de soumission. Si nous dérogeons des limites établies, qui viendra nous donner la fessée ? Nos hologrammes ? Depuis que nous sommes enfants, on nous dit quoi faire et quoi penser, comment agir et les règles à ne pas transgresser, sous peine de quoi ? Nous l'ignorons ! À part se faire rabrouer comme Warin l'a fait avec moi il y a quelques jours... À bien y penser, c'est pas très effrayant comme réprimande!

Abrial se redressa, aiguillonné par l'argument de sa sœur. Une étincelle venait d'enflammer son regard, comme s'il avait eu une révélation.

— C'est vrai! Tu as entièrement raison! On nous berce de légendes et de mythes fantastiques, faisant en sorte que jamais nous n'avons songé à transgresser les règles. Depuis notre prime enfance, nous sommes conditionnés par ces interdits. Oui, oui, oui! D'accord, nous allons révéler notre petit secret à nos amis et, comme tu le suggères, peut-être auront-ils eux aussi des choses à nous apprendre. Il est vrai qu'à plusieurs nous formons une plus grande force qu'en demeurant juste à deux.

Abrial et Vaiata attendaient depuis une dizaine de minutes, avec une certaine anxiété, l'arrivée de leurs trois copains. Un instant, ils s'étaient demandé s'ils avaient bien fait de les convoquer à cette rencontre, disons-le, secrète.

Pour ne pas éveiller les soupçons des superviseurs, ils avaient accompagné Marélie à son cours de natation et ils observaient les prouesses de la gamine à travers les immenses baies vitrées depuis les estrades, où ils étaient seuls.

— Les voilà! signala Vaiata à son frère.

Audric, Naïs et Âdvèl arrivèrent à leur hauteur, un grand sourire accroché aux lèvres, mais le regard rempli de questions. L'invitation à rejoindre les jumeaux avait eu des accents mystérieux et le lieu de cette réunion l'était encore plus. Pourquoi ne pas les rencontrer dans leur appartement?

Ils se saluèrent et s'embrassèrent, contents de se retrouver. Quiconque aurait observé la scène de loin n'aurait vu de cette rencontre que ce qu'elle voulait bien montrer : des copains qui se réunissaient pour discuter de tout et de rien. Pourtant, si cet observateur s'était approché un peu, juste ce qu'il faut pour entendre la conversation, il aurait compris aux paroles d'Abrial que la nature de cette réunion avait quelque chose de plus sérieux que ce qu'il y paraissait vraiment. Il aurait également vu que le garçon était le seul à parler, tandis que les autres l'écoutaient très attentivement.

Abrial parlait vite et exposait clairement ses idées, ce qui souleva chez sa sœur une certaine admiration. Jamais elle ne l'avait vu si éloquent et si précis dans le choix de ses mots. En quelques paroles, il était parvenu à décrire la situation et leurs découvertes. Lorsqu'il eut terminé, leurs amis les regardaient tous les deux sans rien dire, totalement ahuris.

Sans rien oublier, le jeune homme leur avait parlé du livre reçu pour son anniversaire, du dessin de Marélie, de la broche de Coralie, de ses recherches à la bibliothèque, de la grotte trouvée par Vaiata lors de l'épreuve de la Palme, de la plongée qu'ils avaient effectuée pour retourner sur les lieux et de l'étrangeté de ceux-ci.

Audric (qui visiblement ne souffrait plus de sa rencontre avec les horribles coussins de belle-mère) brisa le premier le silence qui les muselait tous les cinq, après l'étonnant récit d'Abrial. Ce qu'il venait de leur raconter était si incroyable qu'aucun d'eux ne savait quoi dire.

— Je ne suis pas complètement ahuri par tout ce que tu viens de dire comme si, quelque part, je m'y attendais, lança-t-il de sa voix déjà grave. Je ne suis pas étonné outre mesure de vos découvertes, c'est étrange...

Audric fixait Vaiata et celle-ci détourna la tête pour observer Marélie par l'un des hublots sur le côté, quelque peu intimidée. Abrial la fixait du coin de l'œil, remarquant son trouble, apercevant également qu'elle portait le collier de corail rouge que le garçon lui avait offert pour son anniversaire. Cette observation le fit sourire. Soudain, il comprit à quel point sa sœur était belle. Vaiata était même d'une grande beauté avec ses cheveux blonds mi-longs et ses grands yeux couleur marine.

La voix de son ami le ramena à la raison même de leur présence en ces lieux.

— Ce qui retient plus particulièrement mon attention, c'est cette histoire de broche que Coralie a reçue, poursuivait Audric. Il y a quelques semaines, je me suis rendu à la fête d'anniversaire de Gwendoline et devinez quoi? elle avait également reçu un bijou, un pendentif représentant un drôle d'animal à la tête d'hippocampe, et qui tenait un trident dans sa gueule.

— Un cheval, renchérit Abrial. C'est un animal terrestre et il est le symbole de Poséidon sur terre.

— Oui voilà, le même que Coralie. Je n'y avais pas porté attention, mais maintenant que j'y repense, c'était exactement la même représentation. Je me souviens également qu'elle m'a précisé que depuis qu'elle l'avait reçu, elle se sentait détendue et que toute son anxiété avait disparu...

— Tout comme Coralie, commenta Vaiata qui sortait enfin de sa torpeur.

Ils discutèrent encore du sujet et de la corrélation des événements jusqu'à ce qu'un son strident annonce la fin du cours de natation. Vaiata prit alors la parole pour résumer et conclure le sujet avant que sa jeune sœur arrive.

— Écoutez-moi bien maintenant, car il ne nous reste plus beaucoup de temps. Nous allons effectuer une plongée de nuit afin de retourner à la grotte, car nous voulons savoir ce qu'elle recèle. Peut-être n'aboutirons-nous à rien, mais ce n'est qu'en effectuant cette plongée que nous le découvrirons. Abrial et moi prévoyons faire cette expédition nocturne dans deux jours. Qui nous accompagne? demanda-t-elle en regardant tour à tour les trois amis.

— J'en serai, répondit aussitôt Audric, en se tournant vers Naïs et Âdvèl, qui jusqu'ici étaient passablement demeurés silencieux.

— Je ne plongerai pas avec vous, pas de nuit, j'en serais incapable... énonça Naïs, peu rassurée, sous le regard compréhensif d'Abrial. Quand je pense à tout ce qu'on raconte sur les étranges monstres qui hantent l'océan, la nuit... Non, désolée, je ne peux pas...

Vaiata posa sa main sur celle de son amie.

— Pas de problème, Naïs, tu n'es pas obligée de venir, nous comprenons. Et toi, Âvdèl?

— Moi non plus, je n'y tiens pas, même si la curiosité de découvrir ce qui se trame est forte. Désolé, mais je n'y tiens pas...

— Ne t'en fais pas avec ça! Nous allons très bien nous en sortir à trois, les rassura Vaiata.

— Je ne vois pas non plus de problème à ce que vous ne nous suiviez pas, vous êtes libres de choisir... ajouta Abrial avec plus de froideur. Mais vous devez nous jurer de ne parler à personne de cette rencontre, de ce qui vient de se dire ici et de nos projets futurs.

Abrial n'obtint pas la réponse désirée, car Marélie remontait déjà en courant les marches des estrades dans leur direction. Sa joie débordante d'avoir autant de spectateurs capta l'attention du groupe. Abrial lui ouvrit les bras, tandis qu'il jetait un regard interrogateur à Naïs et à Âdvèl. Naïs lui confirma d'un signe de tête son serment, tandis qu'Âdvèl entamait déjà la descente des escaliers. Abrial fronça les sourcils, tout en jetant un regard inquiet à sa jumelle.

CHAPITRE 8

— Elle devrait dormir profondément toute la nuit, je lui ai fait boire une tisane de criste-marine. Nous n'aurons pas à nous inquiéter pour notre petite Marélic, déclara Abrial en réponse au regard quelque peu soucieux de sa sœur. Ne t'inquiète pas pour elle. Elle ne se réveillera pas.

— Je l'espère. Presque chaque nuit, elle finit par aller te rejoindre dans ton lit. Si elle se réveille et qu'elle voit que tu n'y es pas, elle va paniquer.

— Je le sais, mais ça n'arrivera pas. La criste-marine a des effets sédatifs, elle va dormir comme un bébé, je te l'assure! Bon, maintenant, lança-t-il pour changer de sujet, as-tu tout ce qu'il nous faut?

— J'ai prévu un sac pour mettre nos vête-ments, de l'eau et des torches incandescentes. Audric doit nous rejoindre dans une heure à la plateforme de plongée. Le plus difficile, pour nous, sera d'éviter les superviseurs...

— Nous allons devoir nous faufiler comme des ombres, sans bruit et surtout sans hésitation. Les hésitations ont souvent raison de notre témérité, lança le garçon, dans un sourire.

— Tu trouves ça drôle ? Moi je suis hyper-stressée...

— Oh ! je le suis également, mais l'excitation est plus forte, je ne pense qu'à ça...

— Allons faire semblant de dormir avant que Mme Gloguen nous le rappelle.

— Non, justement. Nous devons faire ce que nous faisons chaque soir : attendre sagement qu'elle se manifeste pour nous indiquer qu'il est tard, blablabla, que le couvre-feu est dans deux minutes... Les mêmes rengaines quotidiennes, quoi ! Ensuite, lorsque nous serons dans nos chambres et que toutes les lumières s'éteindront, je quitterai mon lit douillet pour aller te rejoindre, et hop ! nous sauterons par la fenêtre.

Lorsqu'ils touchèrent le sol une trentaine de minutes plus tard, Abrial et Vaiata laissèrent échapper un soupir de satisfaction, tout en retenant un fou rire. Ils se sentaient comme des gamins qui s'apprêtaient à jouer un mauvais tour. Abrial, très excité, ne cessait de s'agiter et de parler, et Vaiata, de son côté, ressentait une extrême nervosité, ce qui avait plutôt tendance à la figer, contrairement à son frère. Le cœur battant à tout rompre, elle le foudroyait des yeux.

— Chut! lança l'adolescente, en lui saisissant le bras avec rudesse. Tu vas nous faire repérer, idiot!

— Je n'en reviens pas comme ç'a été facile...

— Dois-je te faire remarquer que nous ne sommes pas encore arrivés au débarcadère, le réprimanda Vaiata, en lui lançant un regard sévère.

— J'y ai pensé justement. Nous allons suivre le trajet qui mène à la bibliothèque, il est rempli d'ombres à cause des édifices et des statues qui l'entourent. Commando, prêt pour l'opération plongée nocturne? Alors allons-y et en silence, lança-t-il en étouffant un rire.

Vaiata, elle, ne riait pas. Elle n'avait pas même l'ombre d'un rictus tant elle était nerveuse. Son visage était aussi grave que lorsqu'elle passait des examens, et c'était peu dire.

C'était la première fois que les jumeaux se retrouvaient dehors en pleine nuit. Aucun Atlante n'avait le droit d'être dehors après le couvre-feu, c'est-à-dire à vingt et une heures, et cette aventure nocturne les impressionnait tous deux. Évidemment, il faisait noir et les rues n'étaient que partiellement éclairées par une lumière jaunâtre, tamisée, provenant des quelques lampadaires situés tous les vingt-cinq mètres.

Telles deux ombres, les jumeaux entièrement vêtus de tenues foncées se faufilaient d'un renfoncement à l'autre, quittant la pénombre pour rejoindre les recoins obscurs qu'offraient portes d'entrée, encoignures et passages couverts. Il leur fallut plus de temps qu'ils ne l'avaient prévu pour arriver enfin au quai numéro quatre. Ce fut dans une noirceur presque totale qu'ils accédèrent au débarcadère. Le seul éclairage provenait des lumières du bassin de plongée, un peu plus loin. Leurs reflets projetés sur l'eau remplissaient l'immense pièce d'ombres bleutées, parsemées de miroitements blancs qui se mouvaient au rythme de l'élément liquide. Les jumeaux se terrèrent dans un coin, observant attentivement les lieux affreusement silencieux. Seul le clapotis du mouvement de l'eau sur les rebords du bassin de plongée venait interrompre la sérénité de l'endroit.

— Est-ce que tu crois qu'Audric est arrivé? chuchota Vaiata.

— Je n'en sais rien! Il fait tellement noir ici que s'il est déjà là, et qu'il est comme nous et tente de nous apercevoir, nous allons y passer la nuit! Comment savoir s'il est déjà arrivé?

— Il suffit de lui demander, lança une voix derrière eux, dans un murmure à peine perceptible.

Les jumeaux sursautèrent, une main plaquée sur la bouche pour ne pas crier. Derrière eux, deux grands yeux foncés sur un visage sombre et souriant les dévisageaient. Audric, car il s'agissait bien de lui, plaça son index sur ses lèvres pour faire comprendre à ses amis de se taire.

— C'est moi, chuchota-t-il. Vous êtes terriblement nerveux tous les deux... Et je ne parlerai pas de votre grande discrétion...

— Quoi ? s'enquit Vaiata, visiblement soulagée de voir le jeune homme.

— Je vous ai vus et entendus arriver dès que vous avez mis le pied sur les quais...

Abrial posa sa main sur l'épaule de son ami.

— Je suis content de te voir et Vaiata également, n'est-ce pas sœurette ? marmonna-t-il en lui décochant un clin d'œil. Trêve de courtoisie, nous ne sommes pas là pour ça. As-tu mis ta tenue de plongée sous tes vêtements comme convenu ?

— Oui, murmura Audric en commençant à se déshabiller.

— Nous allons tout mettre dans ce sac à dos conçu pour la plongée, proposa à mi-voix l'adolescente en délestant ses épaules du fourre-tout. Nos vêtements resteront au sec et ainsi nous pourrons les emporter avec nous.

— Tu as raison, ne laissons aucune trace derrière nous, l'approuva Audric. Et puis nous en aurons sûrement besoin...

— Êtes-vous prêts ? demanda Vaiata, une fois qu'ils eurent rangé leurs effets et enfilé leur nageoire caudale dans un silence presque parfait et avec une grande efficacité.

Les garçons lui répondirent d'un signe de tête. Puis, lentement, dans un mouvement précis et simultané, ils se laissèrent glisser dans les profondeurs obscures et froides de l'océan. Aucune lumière ne filtrait à travers les eaux sombres, si bien que les plongeurs ne se distinguaient même plus entre eux.

Vaiata alluma la première sa lampe de plongée. Ce fut à ce moment précis qu'une assourdissante sirène se mit à hurler. Le son était si strident que même sous l'eau, les trois plongeurs durent se boucher les oreilles.

Vaiata, plus habituée aux situations d'urgence sous l'eau, agrippa les deux garçons pour les entraîner rapidement vers le fond, derrière un monticule de sable, où elle les projeta sans ménagement, avant d'éteindre sa lampe incandescente.

Presque aussitôt une forte lumière balaya dans un mouvement aléatoire l'environnement sur un rayon de plus de vingt mètres. Plusieurs fois, elle passa juste au-dessus de leur tête, mais ne les atteint pas. Ils durent attendre près de cinq bonnes minutes avant que le calme revienne et que la lumière s'éteigne enfin. Le silence retomba aussitôt et la noirceur fut encore plus impénétrable.

Dans l'obscurité (la seule lumière qui filtrait jusqu'à eux était celle du sas de plongée, loin au-dessus de leur tête), Vaiata sortit une corde de son sac et la noua à sa taille avant d'en tendre chaque extrémité aux garçons. Lentement, elle commença à nager, entraînant à sa suite ses deux complices qui s'agrippaient fermement à la corde. Ils se faufilèrent ainsi dans la noirceur, à travers les coraux et les rochers, se confondant avec les ombres, sans jamais totalement se détacher du paysage marin qui leur offrait invisibilité et sécurité. Les deux garçons auraient été incapables de s'aventurer seuls dans ce paysage difficile, sans l'expérience de plongée de Vaiata. Bien qu'excellent nageur et aqualtiste expérimenté, Audric n'avait jamais fait d'entraînement de ce genre, contrairement à la jeune fille.

Enfin, après une quinzaine de minutes de plongée, ils arrivèrent dans une première cavité. Celle où l'énigme de l'épreuve de la Palme avait été gravée à même la paroi. Audric et Abrial émergèrent de l'eau dans un grand fracas, rejetant de leurs poumons enflammés le peu d'air qu'il leur restait pour respirer librement et bruyamment à grandes goulées, tandis que Vaiata, elle, refaisait surface tout en grâce, troublant à peine la surface de l'eau.

— Par Hadès! C'était quoi ce truc? s'écria Abrial essoufflé, en faisant référence au vacarme qui les avait surpris plus tôt.

— Un détecteur de mouvement... commença Vaiata. Je me doutais bien qu'il y en avait un, mais je n'en étais pas sûre.

— Tu aurais pu nous en parler avant, lança-t-il sur un ton plutôt rude. J'ai eu la trouille de ma vie...

— Si je vous en avais parlé avant, vous auriez refusé de plonger. Et puis, comme je viens de le dire, je n'en étais pas certaine...

— Il sert à quoi, ce détecteur de mouvement? demanda Audric, qui retrouvait une respiration plus mesurée.

— J'imagine que ça sert à éloigner les intrus. Le bassin de plongée demeure ouvert en tout temps, et comme nous l'avons vu, il est constamment éclairé. Je pense que cela doit attirer certains hôtes indésirables, comme des requins ou des poissons des abysses. Certains sont peu fréquentables! La vive lumière et ce tintamarre doivent les tenir en respect...

— En tout cas, c'est impressionnant... Je pensais que ça ne se terminerait jamais et que nous allions demeurer là pendant des heures, conclut Audric. Heureusement que tu étais là, j'admire ton sang-froid... C'est la deuxième fois que tu me sauves la mise...

— Merci beaucoup! répondit Vaiata, en rougissant légèrement. Depuis un an, je suis des cours de sécurité et urgence sous-marines. Nous y apprenons justement à réfléchir dans des moments graves ou de crise... Mais nous ne sommes pas là pour parler de ça, pas vrai? Êtes-vous prêts à continuer l'aventure? Nous n'avons pas tellement de temps à perdre, même si nous avons toute la nuit.

Les deux garçons hochèrent la tête en même temps, ce qui fit sourire la plongeuse qui semblait maintenant moins tendue. Ils replongèrent pour enfiler le passage menant à la grotte suivante, Vaiata en tête.

Ils nageaient depuis trois ou quatre minutes, éclairés par la lumière blanche incandescente de la lampe frontale de Vaiata, quand ils arrivèrent enfin dans l'aven conduisant à la fameuse cavité, où ils purent reprendre leur souffle dans une poche d'air.

L'endroit se trouvait dans une noirceur totale et seule la lumière frontale de la plongeuse éclairait les lieux, faisant apparaître sur les parois à demi émergées la phosphorescence des quelques espèces végétales qui poussaient là, loin de toute lumière. Soudain, Vaiata perçut sur sa gauche un mouvement fluide. La plongeuse d'expérience qu'elle était fronça les sourcils, inquiète. Gardant le silence, elle fit signe aux garçons de se dépêcher et de passer devant elle. Devant l'insistance et l'attitude de Vaiata, Audric grimaça d'inquiétude, cherchant à comprendre où était l'urgence.

Il allait lui poser la question quand il perçut, plus qu'il ne vit, quelque chose qui se trouvait avec eux dans la grotte. Il plongea aussitôt, entraînant avec lui Abrial qui n'avait même pas eu le temps de retenir sa respiration et qui ne comprenait rien à l'attitude pressante de son ami. Vaiata s'engouffra également dans l'étroit couloir. Quelle que fût cette chose, il ne fallait surtout pas qu'elle se décidât à les suivre.

Le cœur battant à tout rompre, les trois plongeurs émergèrent enfin dans la seconde cavité, un peu moins ténébreuse. Vaiata, la première, sortit la tête de l'eau, puis les garçons apparurent à leur tour. Abrial cherchait de l'air, totalement ahuri d'avoir été forcé comme ça par son ami.

— Mais qu'est-ce qui t'a pris ? Nom d'une méduse ! T'es devenu fou ou quoi ? grogna-t-il furieux.

— Qu'est-ce que c'était ? demanda Audric sans s'arrêter aux reproches de son copain.

— Je ne sais pas... lança la jeune fille inquiète. Mais nous devons sortir de l'eau, et vite !

Elle cherchait à s'agripper aux parois glissantes du bassin.

— Quoi ? Quoi ? Qu'est-ce que j'ai manqué ? s'enquit Abrial, inquiet subitement, en les regardant tour à tour.

— Ne restons pas ici ! Dépêchons-nous de grimper ces marches, vite ! le pressa Audric sans tenir compte des questions de son ami.

Ils se hissèrent sur les premiers degrés de pierre. Audric, qui n'avait pas encore retiré sa nageoire caudale, gardait les jambes dans l'eau. Vaiata, inquiète, en scrutait la surface, éclairant de sa lampe divers endroits. Brusquement, elle remarqua un large sillon qui avançait rapidement dans leur direction. Dans un hurlement, elle chercha à saisir Audric pour le hisser hors de l'eau et le projeter contre la paroi, lorsqu'un tentacule mesurant presque deux mètres enserra solidement les pieds du garçon, qui se mit à hurler comme un fou. Abrial se jeta à son tour sur son compagnon afin de prêter main-forte à sa sœur, et pour les retenir tous les deux, car la force du monstre marin était énorme et risquait de les emporter l'un et l'autre. Tous trois luttèrent ainsi plusieurs secondes, et la bête, aidée de ses huit bras et de deux autres tentacules qui ressemblaient à des fouets en mouvement, bataillait solidement.

— Un calmar géant ! s'écria Abrial.

— Je commence à être fatiguée, hurla Vaiata, il faut trouver une solution.

— Ne me laissez pas... brailla à son tour Audric, complètement paniqué.

Les trois amis tiraient de toutes leurs forces. Abrial arqué vers l'arrière, presque à l'horizontale, retenait Vaiata qui, elle, s'agrippait ferme à Audric, presque suspendu dans les airs.

Les bras de l'animal frappaient à l'aveugle dans toutes les directions, cherchant à atteindre les plongeurs, Abrial en reçut un en plein thorax. La force de frappe fut violente, et pendant une seconde le garçon ressentit une fulgurante douleur lui traverser la poitrine. Heureusement, il ne relâcha pas sa prise. Mais la fatigue commençait à les gagner et l'adolescente se mit à pleurer tout en implorant Poséidon de les aider. Son vœu fut exaucé presque aussitôt, lorsque la nageoire caudale d'Audric se déchira, libérant ainsi ses pieds. L'élan les projeta avec force vers l'arrière contre les marches de pierre. Le tentacule du calmar emporta son modeste trophée en replongeant aussitôt. Les bras suivirent le mouvement et, sans éclaboussures, la bête se fondit dans la noirceur des eaux.

— Vite, vite! Montons, vite! cria Abrial en tirant Audric et Vaiata. Filons avant qu'il revienne.

Ils escaladèrent une série de marches, glissant et trébuchant, avant de s'arrêter plusieurs mètres plus haut, pour reprendre leur respiration et comprendre enfin ce qui venait de se passer.

Audric tremblait comme une feuille, les pieds nus sur le roc froid et humide et les nerfs à vif. Il parvint à articuler dans un rire étranglé :

— Vous auriez pu me prévenir que notre petite virée nocturne serait si mouvementée... Je comprends maintenant pourquoi Naïs et Âdvèl ont refusé l'invitation! Vous avez vraiment des drôles de sorties...

Les jumeaux se regardèrent un instant, ne sachant trop s'ils devaient en rire, esquissant tout de même un sourire à la réflexion de leur ami. L'heure qui venait de passer les avait épuisés et ils restèrent assis là tous trois, sur les marches, presque dans le noir pendant de longues minutes, silencieux, le temps de se remettre de leurs émotions.

Vaiata extirpa de son sac leurs vêtements secs, une bouteille d'eau qu'elle fit circuler, et quelques galettes séchées faites de crabes et d'hijiki*. Ils se remettaient lentement, retrouvant tranquillement leur calme, de même que la motivation qui les avait conduits dans ces lieux inhospitaliers, car un instant ils avaient bien pensé fuir, rentrer chez eux, retrouver leur lit chaud et douillet, le confort de leur vie si sécuritaire.

— Je crains que nous n'ayons un gros problème, lança enfin Audric d'une voix plus tranquille.

— Un autre? renchérit Abrial sur un ton fataliste.

— Nous avons laissé nos nageoires caudales là-bas et la mienne n'existe plus, comment allons-nous rentrer?

Vaiata et Abrial se dévisagèrent, inquiets, cherchant une solution dans le regard de l'autre. Le jeune homme passa sa main sur ses joues, puis sa bouche dans une attitude qui le vieillissait, et Vaiata se fit le commentaire que ce geste devenait une habitude chez son frère.

— Nous trouverons une solution quand ce sera le moment, d'accord? lança-t-il avec détermination, reprenant ainsi plus de confiance et d'assurance. Pour le moment, poursuivons notre route. Ensuite, nous verrons. Pour commencer, changeons-nous, car il fait froid, puis nous monterons ces marches pour poursuivre nos explorations...

Abrial posa sa main sur l'épaule d'Audric en signe d'amitié, tandis que ce dernier fixait attentivement Vaiata.

— Merci pour...

— C'est normal, idiot, le coupa la jeune fille en lui offrant un sourire rempli de tendresse. Nous ne t'avons pas emmené ici pour que tu serves de festin à un calmar géant. Et puis, tu aurais fait la même chose...

— J'ai vraiment cru que j'allais finir dans son estomac... Si ma nageoire n'avait pas cédé...

— Tut, tut, tut ! C'est fini, d'accord ? enchaîna Vaiata en lui serrant la main. N'y pense plus...

— Trois fois que tu me sauves en si peu de temps...

Audric plongea ses yeux noisette dans le regard marine de la jeune fille, et pendant un bref instant quelque chose d'invisible se glissa entre eux, les coupant totalement de leur environnement, les isolant du reste du monde. Ce fut le raclement de gorge répété d'Abrial qui les ramena sur les marches humides de la grotte sous-marine, à près de cinq cents mètres de profondeur.

Ils s'étaient changés et remontaient lentement les marches inégales taillées à même le roc, et qui conduisaient, maintenant ils le savaient, vers une épaisse porte de bois couverte de charnières et traversée de tiges de métal rouillées. Cette fois-ci, la porte résista un peu moins à leur intrusion. Le corridor étroit dans lequel ils débouchèrent n'avait pas changé depuis leur dernier passage. Les moellons suintaient toujours et l'endroit conservait une forte odeur de moisissure.

— Où sommes-nous donc? Qu'est-ce que c'est que cet endroit? demanda Audric, visiblement étonné, en regardant partout autour de lui.

— En effet, c'est difficile à dire, mais vraisemblablement sous Atlantide et probablement du côté sud de l'île. La porte que tu vois là, devant nous, mène au sous-sol de la bibliothèque, dans la réserve.

— La section interdite! s'étonna Audric, les yeux grands ouverts.

— Exactement. À droite, au bout de ce couloir, se trouve la salle des machines dont nous t'avons parlé et que nous revisiterons plus tard, s'il nous reste du temps. Ce que nous voulons voir maintenant, c'est où mène cet autre passage. Abrial désigna de la main droite le sombre corridor qui disparaissait vers l'est.

— D'accord. Je vous suis. Je n'ai d'ailleurs pas vraiment le choix!

— Bien sûr que tu l'as, s'exclama Vaiata, avec sérieux. Nous avons toujours le choix...

— Oui, mais là, je ne vais pas partir seul de mon côté pendant que vous deux partez dans une autre direction... Vois-tu, je me sens moins téméraire depuis quelque temps, conclut-il sur un ton de plaisanterie.

Abrial et Vaiata l'entraînèrent vers le couloir est. Tous trois avaient allumé leurs torches incandescentes, et avec précaution ils s'aventurèrent dans le long et étroit corridor. Abrial ouvrait la marche, projetant son faisceau devant eux, pendant que Vaiata et Audric scrutaient attentivement chaque renfoncement et recoin. Ils marchèrent ainsi longtemps, s'arrêtant au moins deux fois pour faire une pause et se désaltérer. Abrial consulta sa montre en se laissant choir, fatigué, sur le sol humide.

— Deux heures que nous marchons... lança-t-il visiblement découragé, en pointant son faisceau lumineux vers l'enfilade obscure du couloir. Et rien... uniquement ce fichu et interminable passage...

— Je commence également à douter qu'il aboutisse quelque part, approuva Audric. Deux heures, je crois que je n'ai jamais marché autant de toute ma vie !

— Normal ! Dans l'île nous n'avons pas le droit d'aller au-delà de la Montagne Sacrée, réservée à Poséidon, son domaine, paraît-il. En deux heures, nous y serions sûrement !

— Remettrais-tu en cause notre enseigne-ment et nos lois? l'interrogea Audric, le regard malicieux.

— Si nous sommes tous les trois ici, c'est que nous doutons sérieusement de la légitimité du système dans lequel nous vivons, tu ne crois pas? Pour ma part, j'ai toujours été curieuse de savoir ce qui se trouvait de l'autre côté...

— Je peux t'affirmer sans risque de me tromper que tu n'es pas la seule, chère Vaiata. La grande majorité des Atlantes s'interroge éga-lement. Le côté nord de l'île nous fascine tous, même ceux qui ne remettent pas en question notre enseignement.

— Si je me fie à la logique, émit Abrial, nous devons nous trouver sous la Montagne Sacrée, et peut-être même plus loin... Si tout à l'heure nous étions sous la bibliothèque et que nous avons marché deux heures vers le nord, nous devons donc être sous la montagne, ou encore sur le point de la dépasser...

— Ça, c'est si nous avons cheminé en ligne droite, renchérit Audric, mais qui te dit que nous n'avons pas tourné en rond? Impossible dans une telle noirceur de définir un tracé et des courbes...

— Peut-être qu'au bout nous allons découvrir une sortie, proposa Vaiata.

— Je l'espère, lança Audric. Sinon nous allons devoir refaire tout le chemin en sens inverse. Et de là, il ne nous restera plus qu'à rentrer. Mais comment ? fit le garçon avec une grimace. Je n'ai pas de solution, car sans nageoire, ça va être difficile...

Les trois têtes se tournèrent dans la direction par laquelle ils venaient d'arriver, prenant soudainement conscience de leur grande fatigue. Que pouvait-il bien les attendre au bout de ce tunnel, s'il n'y avait pas de sortie ?

— Si au moins ce foutu chemin était éclairé, marmonna Vaiata avec un léger mouvement d'humeur.

— Ne nous décourageons pas tout de suite, lança Abrial. Continuons, nous verrons bien...

Il se remit aussitôt sur ses pieds, imité par Audric qui aida Vaiata à se relever. Pendant une fraction de seconde, les deux adolescents laissèrent leurs mains enlacées.

Puis, ils reprirent leur marche, traînant les pieds et échangeant de moins en moins de paroles, brisés par la fatigue et assoiffés.

N'oublions pas que nos héros venaient de combattre un calmar géant, de faire deux heures de marche, sans compter le temps de plongée. Au lieu d'être couchés dans leur lit douillet, ils se promenaient en pleine nuit dans des lieux totalement inconnus !

Ils avaient depuis longtemps terminé la bouteille d'eau apportée par Vaiata et de ne plus en avoir leur asséchait la gorge. Il leur fallut encore trente minutes de marche avant de voir, enfin, se dresser devant eux, au bout de leur faisceau lumineux, deux larges portes de métal. Elles s'ouvrirent automatiquement à leur approche.

Abrial fit quelques pas en arrière, retenant de ses deux bras en croix ses acolytes derrière lui, leur signalant ainsi de ne plus avancer. De l'autre côté des portes, une lumière blanche s'alluma. Quelques instants, ils demeurèrent figés, ne sachant trop quoi faire ni quoi dire. Vaiata prit les devants en dépassant les deux garçons, qui aussitôt lui emboîtèrent le pas.

— Bon, il ne semble pas y avoir de monstre, lança-t-elle sur un ton moqueur, la salle paraît vide. Entrons.

D'un mouvement, elle fit passer son frère devant elle, avant de le pousser légèrement en avant. Abrial lui décocha un regard peu assuré.

— Nous y sommes enfin, poursuivit-elle. Nous n'allons pas faire demi-tour et nous retaper deux heures trente de marche sans jeter un coup d'œil à cet endroit !

— Elle a raison, confirma Audric. Maintenant que nous sommes là, nous devons aller jusqu'au bout... Après tout ce que nous avons vécu pour venir jusqu'ici, moi, je veux savoir ! Et puis, nous allons peut-être découvrir un moyen de rentrer chez nous sans avoir à repasser par cet affreux couloir.

Abrial opina lentement de la tête, et les trois Atlantes pénétrèrent dans la salle qui s'ouvrait devant eux et qui se perdait dans l'obscurité, tandis que les portes de métal se refermaient derrière eux, silencieusement.

CHAPITRE 9

— Abrial... se plaignait Marélie de sa petite voix endormie.

La gamine avançait à tâtons vers le lit de son frère.

— J'ai peur, j'ai fait un mauvais rêve.

La main de la fillette agrippa la couverture qu'elle souleva pour se glisser dans l'espace rassurant qu'offrait la chaleur corporelle de son grand frère, comme dans un cocon. Marélie se redressa aussitôt, surprise et inquiète par la froideur des draps et l'absence du corps de son aîné.

— Abrial ? murmura-t-elle, tout en scrutant la pénombre.

N'obtenant pas de réponse, la gamine se lova confortablement dans le lit, en pensant qu'Abrial devait être allé aux toilettes et qu'il ne tarderait pas à revenir. Elle attendit, l'oreille aux aguets et les yeux grands ouverts, fixant la porte. Plusieurs minutes s'écoulèrent ainsi et Marélie commençait à s'interroger sur ce qui pouvait bien retenir son frère loin de son lit à une heure pareille.

N'en pouvant plus d'attendre, elle rabattit la couverture pour sauter en bas du lit et se diriger vers la salle de bains, qu'elle ouvrit sans grande discrétion. Mais la pièce était vide.

La fillette fronça les sourcils et courut vers la chambre à coucher occupée par Vaiata. Elle y entra sans se préoccuper le moindrement de la quiétude et du sommeil de sa sœur. D'un petit pas rapide, elle parcourut les quelques mètres qui la séparaient du lit, qui lui arrivait un peu plus bas que la taille. N'y voyant presque rien et réprimant un sentiment d'appréhension, elle passa sa main sur le lit parfaitement fait de sa sœur.

— Vaiata ? murmura-t-elle avec angoisse, en scrutant la noirceur qui l'entourait.

Marélie se mit à pleurer doucement en quittant la chambre pour s'arrêter dans le couloir. Cette fois, ses larmes se transformèrent en sanglots bruyants, ce qui eut pour résultat de faire apparaître Mme Gloguen.

La superviseuse-nounou, égale à elle-même, éternellement pareille, sans âge et invariablement vêtue de la même façon, sourit à l'enfant. Mais ce sourire sonnait si faux, si inhumain, qu'aucun jeune Atlante n'en était jamais totalement rassuré.

— Qu'avez-vous, jeune Marélie ? lui demanda doucement mais froidement l'éleveuse d'enfants.

— Abriaaaal... ouuuh !

— Vous avez encore fait un cauchemar, c'est ça ? Souhaitez-vous me le raconter

— Noooon ! pleurnichait la fillette, qui tentait à travers ses sanglots d'expliquer pourquoi elle pleurait ainsi. Abrial, ouuuh, il est... ouuuh, il est... Vaiataaaa...

— Jeune Cornwall ! Veuillez vous calmer, je vous prie, et me dire ce que vous avez, ordonna le sosie de Mary Poppins sur un ton plus ferme, forçant ainsi l'enfant à se ressaisir.

— Snif, ouuuh !

Marélie passa une main sur ses yeux et de l'autre elle essuya son nez, sous le regard rempli de reproches de la superviseuse.

— Votre geste est incorrect, jeune Marélie. On ne s'essuie pas le nez avec sa main, ni sa manche. Vous devriez prendre un mouchoir et m'expliquer ce que vous avez, avant de réveiller toute la maisonnée.

Marélie se moucha bruyamment sans cesser de pleurer.

— Abriaaal... pas... son liiit... Vaiataaaa... pluuuus, parvint-elle à dire avant de replonger dans sa crise de larmes, devant la superviseuse qui demeurait insensible au chagrin de l'enfant.

— Je ne vous suis pas, soyez plus claire, jeune fille.

Cette fois-ci, exacerbée par l'incompré-hension de l'hologramme et son manque de sympathie, la gamine se redressa pour hurler avant de se retransformer en torrent :

— Mon frère et ma sœur ne sont plus là ! Ils ont disparu, je veux les voir... Où sont-ils ? Ooouuuh...

Cette fois-ci, l'hologramme comprit de quoi il retournait et disparut aussitôt pour aller constater par elle-même que les chambres étaient effectivement vides. La fillette disait vrai. Quelques minutes s'écoulèrent, troublées par les pleurs déchirants de la fillette, qui s'était effondrée sur le divan du petit salon.

Mme Gloguen, qui était reliée à une unité centrale, retransmit aussitôt les informations qu'elle venait d'enregistrer, c'est-à-dire la dispa-rition de deux enfants, Abrial et Vaiata Cornwall, âgés tous deux de seize ans et domiciliés dans les logis de l'aile ouest, au lotissement les Eaux Troubles, au numéro 21.

Aussitôt les informations furent trans-mises au programme central qui renvoya l'information aux autres superviseurs de l'île ; ceux-ci devaient vérifier la présence éventuelle des enfants dans les autres corps de logis. Cette opération complexe, qui pourrait sembler longue et ardue si elle était exécutée par des individus de chair et d'os, se fit en quelques minutes seulement, grâce à l'unité centrale. La recherche ne prit pas plus de temps qu'il fallait pour prononcer cette phrase : « Abrial et Vaiata Cornwall ont disparu de la surface de l'île ! »

Une donnée supplémentaire, en provenance d'une autre superviseuse, vint s'ajouter aux informations déjà fournies : le jeune Audric Copper était également absent de chez lui.

Une nouvelle recherche fut lancée par l'unité centrale par IVTR (images virtuelles en temps réel), afin de vérifier si la banque de données avait enregistré des images dites « insolites » durant la nuit, et ce, aux quatre coins de la ville.

Ce moteur de recherche analysait les transmissions des scènes tridimensionnelles enregistrées sur l'ensemble du territoire atlante, ainsi que tout événement non habituel ayant pu se produire au cours de la nuit. Tout était soigneusement enregistré, et il ne fallut que quelques secondes pour que l'unité centrale relève la venue inhabituelle des trois Atlantes au quai de plongée. La présence des jeunes en ces lieux fut immédiatement mise en rapport avec le déclenchement de l'alarme, survenu quelques heures plus tôt par le détecteur de mouvement sous-marin. Les trois adolescents avaient effectué une plongée sans autorisation et, qui plus est, de nuit. L'unité centrale envoya sur-le-champ l'ordre à tous les hologrammes de retrouver les jeunes contrevenants.

Marélie, qui pleurait toujours à chaudes larmes, se sentit soulevée délicatement par deux bras qui se refermèrent avec tendresse sur elle.

— Chuuuut! Marélie, ne pleure pas, je suis là...

La gamine releva sa jolie tête brune pour découvrir le visage tendre et compréhensif de Naïs qui, prévenue par Mme Gloguen, avait accouru pour s'occuper de la gamine qui, elle se doutait, était désespérée.

— Ils... ils... ils... ont disparuuuu... poussa la petite dans un hoquet.

— Je sais, chuuut! Ne t'en fais pas, ma chérie. Je peux t'assurer qu'ils vont revenir. Ils vont très bien, chuchota Naïs, en caressant la tête de la gamine.

— Je ne comprends pas, ils n'ont pas encore dix-huit ans, souffla Marélie en glissant ses yeux marine cernés de rouge dans le regard attendri de l'amie de sa sœur.

Naïs ressentit une grande tristesse en comprenant que Marélie, terrifiée, croyait que son frère et sa sœur étaient partis définitivement.

— Non ! Tu as raison, ce n'est pas pour cela qu'ils sont absents. Ils vont revenir... Je vais te confier un secret, d'accord ? Mais... (Naïs jeta un coup d'œil autour d'elle avant de poursuivre dans un murmure :) mais, tu dois me jurer de ne rien dire, surtout pas à Mme Gloguen, entendu ?
— La gamine acquiesça avec force. — Abrial et Vaiata sont partis faire de la plongée...

Marélie ouvrit de grands yeux ronds, rougis.

— Quoi ? La nuit ?

Naïs opina de la tête, soupesant les mots qu'elle devait dire ou non à cette gamine dotée d'un esprit vif, et qui ne se laissait pas berner si facilement.

— Mais c'est interdit et très dangereux ! Ils sont fous ! Il faut aller les chercher... s'indigna Marélie.

Naïs arrêta la gamine dans son mouvement en la retenant par le bras.

— Non, Marélie, nous ne dirons rien et nous allons tranquillement attendre leur retour, d'accord ? Parce qu'ils vont revenir bientôt, je t'en fais la promesse. Maintenant, je vais nous préparer une tisane, ça va nous faire du bien. As-tu un jeu à me proposer pour nous faire patienter ?

Marélie, surprise et rassurée par l'attitude confiante de Naïs, se calma. Elle se moucha bruyamment encore une fois, et se leva pour suivre docilement l'adolescente dans la cuisine, sans protester.

— La porte s'est refermée, hurla Vaiata, en se retournant et en s'élançant vers les battants.

À son approche, la double porte de métal s'ouvrit de nouveau, ce qui arrêta net la jeune fille dans son élan, surprise et sur la défensive.

Abrial et Audric haussèrent tous les deux les sourcils, stupéfaits. Vaiata revint vers eux en reculant lentement, sans comprendre, pendant que la porte, elle, se refermait silencieusement. Elle scruta une seconde les battants, la tête légèrement inclinée, avant de refaire deux pas dans leur direction, pour les voir aussitôt se rouvrir. Un sourire vint aussitôt remplacer l'incompréhension.

— C'est génial! Elles s'ouvrent et se ferment automatiquement dès notre approche...

— Il doit y avoir un capteur quelque part qui détecte la présence de quelqu'un qui s'apprête à passer l'ouverture et l'actionne aussitôt... Hum, ingénieux, surtout lorsqu'on a les bras chargés, suggéra Audric qui, comme les deux autres, ne connaissait pas le principe des portes automatiques.

La modernité de l'île ne reposait que sur quelques éléments de vie essentiels au quotidien, non sur des choses plus futiles.

Dès qu'ils pénétrèrent un peu plus avant dans la salle, une série de lampes s'allumèrent une à une, éclairant ainsi, par section, l'ensemble du bâtiment dans lequel ils se trouvaient. Les trois complices ne purent qu'être admiratifs face à ce qu'ils découvraient pour la première fois.

La salle, immense, avait des murs couverts de pans d'acier rivetés, et était surplombée par un immense dôme, d'où partait une série de projecteurs qui éclairaient l'océan. Au bout de la salle s'ouvrait une immense gueule béante qui ressemblait au quai de plongée qu'ils connaissaient, mais en vingt fois plus grand. Dominant l'immense sas de plongée, presque en apesanteur, se tenaient d'énormes raies manta qui se faisaient face sur deux rangées. La vision de ces gigantesques poissons de plus de six mètres, hors de l'eau, tétanisa les trois adolescents qui, pendant une minute, n'osèrent plus bouger ni même parler.

Audric, à voix basse, en dénombra quinze.

— Elles sont gigantesques ! laissa-t-il enfin échapper, ce qui eut pour effet de ranimer les deux autres.

— J'ai quelquefois vu cette espèce de raies en plongée, mais je ne comprends pas... ajouta Vaiata à mi-voix.

— On dirait... débuta Abrial, tout en se dirigeant lentement vers elles, que ce ne sont pas de vrais poissons, elles sont si statiques...

— Attention, lança sa sœur en voulant l'arrêter, on ne sait jamais...

— Ce ne peut être de vraies raies manta, lui répondit-il en la regardant, elles ne pourraient survivre en dehors de l'eau comme ça, et puis, elles sont si immobiles que c'en est anormal...

Audric et Vaiata échangèrent un regard devant l'évidence de l'affirmation d'Abrial. Ils lui emboîtèrent aussitôt le pas, soudain plus intéressés et moins inquiets. Ils s'approchèrent à distance raisonnable. Seul Abrial poursuivit son chemin jusqu'à une échelle métallique qu'il découvrit fixée à chaque poisson.

— Vous voyez bien que ce ne sont pas de vrais poissons, commença-t-il en grimpant les échelons qui étaient maintenus à la nageoire de la raie.

Une fois au sommet, il cogna de son poing fermé sur la paroi qui résonna d'un bruit sourd et métallique. Il avait beau regarder attentivement la chose du haut de son perchoir, Abrial n'aperçut absolument rien pouvant l'éclairer sur son utilité. Ni ouverture ni commandes, rien, à part un écu dessiné sur la surface métallique et dont il reconnaissait parfaitement le dessin, qu'il lui semblait voir partout depuis quelque temps :

un cheval tenant dans sa bouche un trident. Il redescendit rejoindre les autres.

— Alors ? lui demanda Vaiata.

— Rien. Je n'ai rien vu que tu ne puisses voir toi-même, d'ici... Je ne sais pas à quoi ça sert. Mais ce que je sais, c'est que ce n'est pas vivant et que c'est fait de métal. Avez-vous remarqué le motif dessiné juste au-dessus de l'aile ?

Les trois jeunes regardèrent un long moment. Les raies manta, immenses et magnifiques, suspendues au-dessus de leur tête, possédaient toutes le même blason, au même endroit. La lumière blanche des lieux faisait ressortir le bleu pétrole du dos des poissons et la blancheur de leur ventre. L'illusion était parfaite, et Vaiata se rappela avoir vu plusieurs de ces poissons alors qu'elle effectuait des plongées. Étaient-ce les mêmes ?

— Impressionnant... lança Audric en se grattant la tête. Mais à quoi cela peut-il bien servir ?

— À qui servent-elles, surtout ? L'endroit ne semble pas aussi ancien que le reste de l'île, poursuivit Vaiata en passant son doigt sur une des échelles de métal. On dirait même qu'il est fréquenté, conclut-elle en montrant son index propre, dépourvu de poussière — ce qui n'aurait pas été le cas si les lieux avaient été abandonnés depuis longtemps.

Ne voyant pas ce qu'ils pouvaient faire de plus, ils reportèrent leur attention sur le reste de la salle. Tournant le dos aux raies géantes, ils levèrent les yeux pour découvrir un avancement entièrement vitré qui dominait l'endroit où ils étaient.

Audric désigna de l'index des marches également en métal qui partaient sur la droite et qui longeaient le mur, menant à ce qui semblait être une autre pièce. Ils allaient les gravir, quand Vaiata remarqua à sa droite, suspendu au mur, un grand panneau en relief représentant l'Atlantide. Elle s'en approcha, suivie des autres, pour découvrir avec étonnement que toute la cité, les Communs, chaque maison et chaque immeuble étaient représentés à l'échelle et en détail.

À chaque extrémité de la mappemonde étaient marqués les quatre points cardinaux, et au centre de l'île apparaissaient clairement des X rouges indiquant, elle le comprit alors, des endroits inconnus de l'île et qu'elle soupçonna être des points de sortie ou d'entrée.

Ils se trouvaient au nord de l'Atlantide, désigné par un X sur la carte. Elle savait maintenant que la bibliothèque menait également jusqu'à ce lieu étrange, car, là aussi, elle repéra un X rouge nettement dessiné. La suite n'était que pure logique.

Elle reconnut le point ouest comme étant le parc des vestiges anciens, tout près de chez eux ; au sud, bien évidemment, les quais qu'ils connaissaient déjà ; à l'est, le X se situait près des Communs. Un pointillé reliait chaque X à l'endroit où ils se trouvaient en ce moment.

— Une carte en relief de la cité... Regardez, tout y est dans les moindres détails, même les adresses sont clairement notées, bredouilla-t-elle, en leur faisant part de son raisonnement. Les garçons opinèrent de la tête, en accord avec ses déductions.

Ils désignèrent leurs logements respectifs, suivant des yeux divers chemins. Vaiata, elle, montra de l'index l'endroit où ils se trouvaient, de l'autre côté de la Montagne Sacrée. Elle le fit glisser le long d'un des pointillés qui partait en direction de la bibliothèque et qui se juxtaposait en partie à un autre, presque effacé.

— Regardez, on dirait deux tracés ! Comme deux routes qui se suivent pour se rendre presque au même endroit, à la bibliothèque...

— Oui, tu as raison, confirma Audric, en s'approchant plus près de la carte. Mais qu'est-ce que ça signifie ? Deux routes distinctes effectuant le même tracé ? Comme un ancien chemin et un nouveau, peut-être.

— Possible, approuva la jeune fille. Mais à qui cela s'adresse-t-il ? À qui servent ces informations et ces installations ?

Les trois acolytes se retournèrent pour regarder encore une fois la salle dans son ensemble, qui leur paraissait si futuriste par rapport à ce qu'ils connaissaient.

L'Atlantide, les rues et les bâtiments qu'ils connaissaient semblaient si vieux par rapport à ce qu'ils découvraient. Abrial se dirigea alors vers un mur en retrait, tapissé de voyants lumineux. Il venait tout juste de l'apercevoir, car celui-ci était invisible de tout autre point de la pièce, à cause de l'angle de sa disposition.

— Qu'est-ce que c'est encore que cette étrange chose ?

— On dirait un ordinateur, suggéra Audric, en touchant du bout des doigts les voyants.

— Oui, ça je m'en doutais. Mais à quoi sert-il ? Il est si... énorme !

— Là, regardez...

Vaiata leur montra une suite de lettres correspondant chacune à une des plateformes retenant les raies manta.

— Cela correspond à ces engins...

Abrial indiqua de la main l'ensemble des raies, lesquelles demeuraient inexorablement inertes.

— Oui, ce doit être pour... s'arrêtant de parler, Audric enfonça un des boutons sous le regard tétanisé des Cornwall.

— Mais que fais-tu? eut juste le temps de hurler Abrial, en saisissant la main de son ami, tandis qu'un bruit métallique venait l'interrompre.

Ils levèrent la tête vers l'un des engins, celui qu'Abrial venait justement d'observer, et découvrirent au-dessus de l'aile gauche un accès qui venait de se dégager, juste au-dessus de l'échelle où Abrial était juché quelques minutes plus tôt.

— Il n'y avait rien tout à l'heure qui pouvait laisser supposer une ouverture à cet endroit, j'en suis certain! commenta-t-il alors qu'il remontait rapidement l'échelle de métal. Passe-moi la lampe, lança-t-il à Vaiata qui se trouvait juste derrière lui, suivie de très près par Audric.

Le garçon pénétra le premier dans la raie manta, qui aussitôt s'illumina, ce qui le fit sursauter. Vaiata et Audric attendaient, juchés sur l'échelle.

— Que vois-tu? lui demanda sa sœur inquiète.

Par l'ouverture de la porte, sa tête réapparut aussitôt.

— C'est vraiment étonnant, venez voir! leur lança-t-il, visiblement excité.

Ce qu'ils firent en moins de temps qu'il ne le faut pour le dire. Ils se retrouvèrent l'un à côté de l'autre, les yeux et la bouche grands ouverts, ahuris par ce qu'ils découvraient.

Devant eux s'alignaient trois séries de six sièges confortables en demi-cercle. Les fauteuils étaient tournés vers ce qui semblait être un tableau de bord avec quelques manettes, deux courtes poignées et un écran, donnant sur une longue et étroite fenêtre qu'il leur avait été impossible de voir du sol, à cause de son angle. L'habitacle, beaucoup plus grand qu'il n'y paraissait de l'extérieur, offrait un intérieur riche et pratique.

— C'est un engin sous-marin comme dans *Vingt mille lieues sous les mers*, de Jules Verne, laissa tomber Abrial, les yeux remplis d'émerveillement. Je le savais...

— Quoi? Qu'est-ce que tu savais? questionna Vaiata sans cesser de détailler l'intérieur très futuriste de l'engin.

— Je savais que nous n'étions pas seuls et que l'on pouvait quitter l'Atlantide... Je savais que ce monsieur Verne avait un lien avec nous!

— C'est un livre de fiction, Abrial...

— *Mythes et légendes du monde terrestre* aussi, rétorqua-t-il, et regarde où il nous a menés!

Vaiata jeta un regard à son frère avant de lui répondre:

— Dois-je te rappeler, cher frère, que c'est lors de ma plongée que j'ai découvert le passage menant jusqu'ici...

— Inutile ! Mais si nous n'avions pas reçu le livre, jamais tu n'aurais eu l'esprit ouvert à ce qui t'entourait à ce moment-là... Tu serais simplement passée à côté sans le voir...

La jumelle fit une drôle de figure, rendue perplexe par les propos d'Abrial, mais elle pensa que le lieu était mal choisi pour avoir une dispute, et puis elle conclut qu'ils étaient tous les trois très fatigués. *D'ailleurs*, songea-t-elle en consultant sa montre, *nous allons devoir penser à regagner la surface de l'île, car mon cadran affiche déjà trois heures vingt-cinq du matin.*

— Nous devons reprendre le chemin vers l'Atlantide, lança-t-elle, en passant son pied par-dessus l'un des barreaux de l'échelle pour entamer sa descente.

— Non ! Pas tout de suite, s'écria son jumeau qui entreprit pourtant de la suivre.

— Mais Abrial, il est tard, nous ne devons pas oublier le temps que prendra notre retour...

— Nous n'avons pas fini de visiter les lieux, protesta-t-il, en désignant de la main l'ensemble du bâtiment.

— Nous reviendrons, Abrial. Là, nous devons repartir...

— Je refuse de partir maintenant. Nous devons avant tout comprendre la présence de ces engins ici... Il y a tant de choses à voir. Comment peux-tu penser à rentrer maintenant?

— Nous ne trouverons pas de réponse ici. Du moins pas cette nuit... Cette salle est spectaculaire et elle vient s'ajouter à la longue liste des mystères qui composent l'Atlantide, mais nous n'en découvrirons pas plus ce soir... Comme tu le vois, nous nous trouvons dans une espèce de gare, de terminal. Rien ici ne nous indique vers où ces engins peuvent mener...

— Oui, ça, je l'avais remarqué, merci! Mais nous devons en découvrir plus... Nous n'allons pas rentrer alors que nous sommes si près de découvrir les dessous de cette histoire...

Vaiata laissa retomber ses épaules, tandis qu'Abrial fronçait les sourcils en la dévisageant.

— Tu ne sembles pas déconcertée par ces lieux... lui lança-t-il, avec déception.

— Bien sûr que je le suis! J'en suis même totalement abasourdie si tu veux le savoir, mais il faut croire que je suis plus réaliste que toi. Si nous ne rentrons pas maintenant, Marélie va se réveiller dans quelques heures et avec elle Mme Gloguen, et s'ensuivra bien évidemment la découverte de notre fugue, tu comprends? Si nous sommes découverts, nous n'aurons plus jamais l'occasion de revenir ici. On pourra dire adieu à nos découvertes... D'ailleurs, n'est-ce pas toi qui me tenais les mêmes propos l'autre jour, au sujet de la salle des archives ?

Abrial comprenait parfaitement la situation, mais, lui qui avait toujours été si prévoyant, il admettait difficilement ce départ précipité alors qu'ils avaient mis le doigt sur quelque chose d'absolument incroyable. L'idée de rentrer en laissant derrière tout cela, avec les mille et une questions que suscitait cette découverte, lui paraissait absurde. Il ne pouvait rentrer, c'était impossible. Pas maintenant, même s'il le fallait.

Abrial et sa sœur en étaient à cette lutte d'opinions quand ils entendirent Audric les appeler. Ils réalisèrent alors que leur ami ne se trouvait plus à leurs côtés. Ils ne l'avaient pas vu s'éloigner, ni monter les marches de métal qui menaient au surplomb au-dessus de leur tête.

— Venez voir ce que j'ai découvert... Je suis en haut !

Les Cornwall escaladèrent les marches deux par deux pour parvenir dans une pièce de taille moyenne, pourvue d'une large fenestration, et qui offrait une vue imprenable sur les raies manta et sur l'océan. L'image était spectaculaire, puisqu'elle donnait l'impression de se trouver dans la mer, en plein milieu d'un banc de raies manta.

Audric était assis dans un fauteuil devant un pupitre mesurant à peu près trois mètres de longueur sur deux de large, et sur lequel apparaissaient plusieurs cadrans et boutons. Tout en les regardant, tout sourire, le garçon appuya sur l'un des poussoirs. Le frère et la sœur ouvrirent de grands yeux, leur attention aussitôt attirée vers une scène se déroulant à l'extérieur de la pièce.

Devant eux, un des sous-marins, le premier sur la gauche, bascula lentement vers l'avant comme s'il allait piquer du nez dans le bassin. Deux lumières s'allumèrent sur le devant de la raie, là où se trouvaient normalement ses yeux, pour éclairer le fond du bassin, et les jeunes comprirent qu'Audric venait d'enclencher la mise à l'eau de l'appareil. Le sous-marin demeura ainsi, le nez pointant vers la surface calme de l'eau, comme s'il attendait sagement la suite des opérations.

— Que fais-tu, Audric ? Arrête ça tout de suite, lança avec force Abrial.

— Ne t'inquiète pas ! Diriger ces engins est un vrai jeu d'enfant. Regarde, tout est écrit à côté de chaque manette : ouverture des portes, départ, mise à l'eau, arrêt, pilote automatique, niveau de carburant, tout est là... Simple, non ? C'est vraiment génial ! s'excita le jeune homme, les yeux pleins d'émerveillement.

Vaiata et Abrial s'étaient approchés du pupitre, un sourire étirant leurs lèvres, comme deux enfants qui découvrent un nouveau jouet.

— Peut-être pourrions-nous rentrer avec un de ces beaux joujoux, suggéra Abrial, en passant son doigt sur les boutons.

— Nous ne savons pas les conduire, protesta sa sœur, les narines pincées.

— Ça ne paraît pas très compliqué, renchérit son frère.

— Non, attendez, ce n'est pas tout, intervint Audric. Il y a peut-être mieux... Regardez ce que j'ai également découvert, venez par ici...

Audric leur fit signe de le suivre vers une autre porte de métal située dans le fond de la pièce et affichant une plaque : *Appontement*.

Abrial remarqua qu'il s'agissait de la même typographie que celle qu'il avait déjà vue dans la salle des machines.

— Je ne sais pas ce que ça veut dire, mais je crois le deviner ! enchaîna Audric en poussant la porte.

La pièce, plus petite, était une espèce de débarcadère où des navettes suspendues au plafond étaient fixées à un rail unique. Quatre, exactement, semblaient attendre sagement d'emmener des voyageurs à destination.

— Qu'est-ce que c'est ? demanda la jeune fille en s'approchant.

— Je crois que ce truc s'appelle un monorail et qu'il mène à certains endroits précis dans l'Atlantide.

— Et comment le sais-tu ? Tu ne l'as tout de même pas essayé le temps que nous discutions ! s'exclama Abrial, les yeux moqueurs.

— Non, mais j'aurais pu, répondit Audric, un sourire aux lèvres. Regardez ici, il y a un plan... Nous sommes là. — Il montra l'endroit en faisant glisser son doigt le long d'un tracé. — Et regardez jusqu'où nous mène ce pointillé...

— À la bibliothèque, murmura Vaiata, en s'approchant pour lire la notice.

— Y'a pas plus simple ! s'exclama Audric. Monorail 1, ligne 1.

Le garçon pointa du doigt en direction de la première navette, poursuivant sa lecture à voix haute : à partir de la bibliothèque, monorail 2, ligne 2 ; direction ouest, les Eaux Troubles ; et ainsi de suite.

— Tout est clairement indiqué ! lança Audric. Tout ce que nous avons vu depuis notre arrivée ici est bien expliqué. C'est si facile à suivre, un vrai jeu d'enfant.

— Quatre monorails, quatre directions différentes, quatre points d'arrivée ! s'exclama avec bonne humeur Abrial.

— Les mêmes points d'arrivée et de départ que sur la carte en bas, ajouta Vaiata.

Les trois acolytes échangèrent des regards, lorsqu'un drôle de sourire se dessina sur les lèvres des deux garçons.

— Qu'attendons-nous pour les essayer ? demanda Abrial, prêt à monter dans la cabine.

— Si ça ne mène nulle part... Pire encore, si ça ne marche pas bien, s'inquiéta Vaiata, en dévisageant Audric.

— Je suis persuadé que ce moyen de transport fonctionne très bien. Comme tu nous l'as fait remarquer tout à l'heure, les lieux ont l'air parfaitement entretenus. Nous n'avons peut-être pas encore découvert à qui servait tout cet équipement, ni pourquoi on nous tenait dans l'ignorance de son existence, mais nous savons que ces machines fonctionnent. Du moins, elles semblent fonctionner... enfin, je l'espère ! conclut Audric, en tendant la main à son amie pour l'aider à monter dans la cabine qui tangua légèrement.

— Et comment ça marche, ton monorail ? fit-elle, encore sceptique.

— Comme ça !

Audric actionna le seul bouton du petit tableau de bord et aussitôt la cabine fut propulsée dans la noirceur du tunnel, qu'elle emprunta à une vitesse fulgurante, sous les rires des deux garçons.

CHAPITRE 10

— Ça y est, nous ralentissons, observa Abrial. Je me demande bien où nous allons atterrir. En tout cas, c'était vraiment génial, ce truc !

— Tu peux le dire, confirma Audric. Ça donne envie de recommencer...

— Sans moi, lança Vaiata, blême. Je n'ai qu'une envie, mettre le pied à terre.

La jeune fille n'avait pas achevé sa phrase que la navette s'immobilisa, dans une espèce de hangar assez étroit. De chaque côté de la cabine se trouvaient deux trottoirs éclairés par des veilleuses. Le reste de l'endroit était assez sombre, n'offrant d'autre possibilité aux voyageurs que de suivre les trottoirs éclairés. Ce qu'ils firent silencieusement.

Abrial, Audric et Vaiata avancèrent vers la seule porte visible dans le hangar et sous laquelle filtrait un rai de lumière. Avant de la pousser, ils échangèrent des regards interrogateurs. Devaient-ils repartir d'où ils venaient ? Où se trouvaient-ils maintenant ? Qu'allaient-ils découvrir de l'autre côté de cette porte ?

L'inscription sur le plan indiquait la bibliothèque, mais cette navette les avait-elle réellement conduits en si peu de temps de l'autre côté de l'île, alors qu'ils avaient passé près de trois heures à en parcourir l'interminable couloir ?

— Nous devons être prudents, suggéra Abrial à voix basse. Je vais ouvrir légèrement la porte et jeter un coup d'œil. Restez derrière moi.

Le plus discrètement possible, Abrial appliqua une pression sur la porte pour l'ouvrir de quelques centimètres. Celle-ci s'entrouvrit avec facilité, sans résistance.

Lançant un regard à ses complices, il passa la tête par l'embrasure pour vérifier ce qui se trouvait de l'autre côté, quand tous les trois entendirent une voix ferme les interpeller par leur nom :

— Mademoiselle Vaiata et monsieur Abrial Cornwall, ainsi que monsieur Audric Copper, veuillez sortir immédiatement de là.

— Aïe ! Je crois que nous sommes repérés, dit Abrial avec gravité. Tournant la tête vers Vaiata et Audric, il leur lança à la rigolade et sûrement aussi pour se donner confiance : Allons affronter le peloton d'exécution !

Abrial ouvrit toute grande la porte pour faire face à Mme Gloguen qui se tenait droit devant lui. Derrière elle, cinq superviseurs attendaient silencieusement, les bras croisés dans le dos. Les trois jeunes, faisant front commun, sortirent pour défier les hologrammes du regard.

— D'où venez-vous ? demanda leur hologramme-nounou.

— Vous devriez le savoir ! rétorqua sèchement Abrial. Vous nous cachez tellement de choses. Votre présence ici démontre bien que vous êtes parfaitement au courant de nos allées et venues.

— Votre manque de politesse sera puni, jeune Abrial. Je ne vous permets pas de me répondre sur ce ton. Vous allez d'ailleurs tous les trois connaître votre punition sous peu. Vous avez enfreint plusieurs lois cette nuit, et vos actes ne resteront pas impunis. Il est près de cinq heures du matin et tout Atlantide dort, fort heureusement pour nous tous.

Les trois jeunes découvrirent alors où ils étaient. En s'avançant dans la pièce jouxtant le petit hangar par lequel ils étaient arrivés, ils reconnurent immédiatement les lieux. Cette salle, ils la connaissaient fort bien, puisqu'il s'agissait de leur salle d'étude. Pourtant, jusqu'à ce jour, nos trois héros n'avaient jamais remarqué cette porte qu'ils venaient à peine de franchir. Tout en s'interrogeant sur sa présence, ils se rendirent compte qu'elle venait de disparaître.

La porte s'était fondue, comme par enchantement, dans le marbre rouge qui l'encadrait.

Abrial, Vaiata et Audric se trouvaient au cœur même de la somptueuse bibliothèque, là où se dressait le sanctuaire de Poséidon.

Le temple du dieu de la mer siégeait au cœur de l'édifice, sous celui-ci plus exactement, et semblait plus vieux que l'Atlantide elle-même. Sur les parois de marbre rouge du sanctuaire étaient sculptés de magnifiques bas-reliefs rehaussés d'or et d'argent. Le toit du temple était soutenu par des colonnes de marbre noir, sur lesquelles figuraient les textes de la genèse de l'île et les lois de Poséidon, gravés d'orichalque et d'électrum, un alliage d'or et d'argent. Le sanctuaire disposait de quatre ouvertures représentant les quatre points cardinaux, et c'était par de larges escaliers de marbre noir que l'on y accédait. Les Atlantes n'avaient pas le droit d'y pénétrer, sauf quatre fois par année, pour rendre un culte au dieu Poséidon, leur père. Dans cette période de festivités qui durait deux jours, les enfants venaient s'y recueillir et y déposer des offrandes, généralement des coquillages.

Abrial, Vaiata et Audric reconnurent les lieux, et un instant ils se demandèrent ce qui allait se passer, maintenant qu'ils connaissaient l'existence des passages secrets de l'île, la salle de plongée et ses sous-marins raies manta. Ils comprirent toutefois qu'il ne leur servait à rien d'interroger les superviseurs, qui n'étaient que des hologrammes, rien de plus.

— Qu'allez-vous faire de nous ? osa demander Abrial, quelque peu inquiet.

— Vous allez bientôt le savoir. Patientez, monsieur Cornwall, gronda Mme Gloguen.

Les trois adolescents se regardaient, perplexes quant à la suite des événements. Audric prit la main de Vaiata, qu'il serra très fort. Les jeunes étaient encerclés par les six hologrammes qui demeuraient affreusement muets.

Soudain, en face d'eux, un nouvel être de lumière se matérialisa. Son apparition impressionna grandement les trois acolytes, qui s'effrayèrent un peu de son apparence. Un homme avec une abondante chevelure blanche les observait fixement. Plus grand que les superviseurs, et très imposant, il se tenait droit et fixait attentivement les adolescents de ses yeux bleus translucides. Bien que son apparence fût très impressionnante, une certaine bienveillance émanait de sa personne. Les Atlantes n'avaient encore jamais vu de leur vie de personne âgée, et l'apparence du vieillard les troubla profondément. Tous trois reconnurent sans le moindre doute leur père à tous, Poséidon.

— Jeunes Vaiata, Abrial et Audric, entonna d'une voix grave le vieil homme, comme je suis heureux de vous revoir.

Les trois adolescents échangèrent des coups d'œil interrogateurs, cherchant à comprendre ce que cet homme voulait dire par là.

— Je suis navré que notre rencontre se fasse dans de telles circonstances !

Abrial allait dire quelque chose quand, de la main, le dieu de la mer lui intima l'ordre de se taire. Son regard bleuté plongea dans celui du jeune homme.

— Vous aurez la parole plus tard, jeune Abrial. Vous pourrez vous expliquer sur vos comportements répréhensibles. Je ne tolérerai aucune impolitesse de votre part. Tenez-vous-le pour dit. Vous avez volontairement enfreint les lois qui régissent l'Atlantide pour tenter de découvrir des choses qui ne vous concernent pas. Vous allez subir mon châtiment, puisque vous êtes dorénavant de jeunes contrevenants.

La voix de Poséidon, dure et grave, impressionnait les trois adolescents qui dirigèrent leur regard sur leurs pieds, de peur de déplaire à leur père, visiblement en colère.

Abrial osa tout de même jeter un coup d'œil rapide vers cet homme qu'il voyait pour la première fois. Il l'observait à la dérobée, se surprenant lui-même de son audace. Poséidon continuait lui aussi de le dévisager, lorsqu'il clama de sa voix de stentor :

— Pour avoir enfreint les lois de notre communauté, pour avoir mis votre vie en danger et avoir outrepassé vos droits, je vous condamne à l'oubli !

Cette fois-ci, les trois adolescents eurent une réaction. Abrial tourna la tête vers sa sœur et son ami, qui tous deux le dévisageaient d'un œil paniqué. Ils ne savaient pas encore ce que c'était qu'être condamné à l'oubli, mais cette sentence leur semblait bien effrayante. Les larmes commencèrent à rouler sur les joues de la jeune fille qui, terrifiée, ne cessait de penser à Marélie. Ils avaient transgressé les lois pour lui éviter de se retrouver seule, et voilà qu'ils se retrouvaient condamnés à l'oubli. Ils avaient fait pire que bien.

— Mais... commença-t-elle, nous ne cherchions pas à faire de mal ! Nous voulions simplement savoir, comprendre...

— Jeune Vaiata, vous avez transgressé les lois en effectuant une plongée de nuit, en dissimulant vos intentions, en vous promenant dans des lieux qui vous sont interdits et en mettant vos vies en danger. Pour toutes ces infractions, vous devez être punis, vous, votre frère et votre ami. Et je ne parle pas de votre manque de respect et de votre impolitesse.

— Qu'est-ce que c'est, la condamnation à l'oubli ? s'enquit Audric, terrorisé, et qui ouvrait la bouche pour la première fois.

Poséidon le considéra un instant avant de répondre :

— La nuit prochaine vous subirez votre châtiment, car déjà le jour va se lever, tirant du lit les Atlantes. Rentrez chez vous et demeurez-y enfermés toute la journée. Interdiction de sortir. Nous nous reverrons cette nuit. Je vous laisse aux bons soins de vos superviseurs.

L'hologramme du vieillard s'effaça, laissant les trois jeunes totalement désemparés.

Sur le chemin qui les ramenait, Abrial, Vaiata et Audric n'ouvrirent pas la bouche, mais ne cessèrent d'échanger des regards déprimés. Escortés des superviseurs, ils n'osaient parler. Pourtant ils avaient tant de choses à se dire. Abrial était visiblement de mauvaise humeur, et Vaiata affichait un air inquiet. Audric, pour sa part, semblait profondément perdu dans ses pensées. Ils se séparèrent au coin de la rue. Abrial étreignit son ami en lui murmurant à l'oreille : « Ne t'inquiète pas, je vais trouver une solution d'ici ce soir, tiens-toi prêt. »

« Abrial, Vaiata ! » s'écria Marélie en les voyant franchir la porte d'entrée de leur logis. La fillette se précipita dans leurs bras, tandis que le frère et la sœur l'accueillaient en pleurant. « Où étiez-vous ? » les questionna la gamine en se remettant elle aussi à pleurer.

— Nous t'expliquerons tout cela plus tard, ma petite crevette rose, répondit Abrial.

— Il est formellement interdit de dire quoi que ce soit sur votre escapade, jeunes Cornwall, trancha Mme Gloguen. Quant à vous, mademoiselle Naïs, vous pouvez rentrer chez vous. Nous vous remercions pour votre présence rassurante auprès de Mlle Marélie.

— Mais je voudrais savoir... commença la jeune amie de Vaiata, curieuse.

— Cette histoire ne vous concerne pas, mademoiselle Naïs. Veuillez vous retirer, la coupa sèchement la superviseuse.

Vaiata s'approcha de son amie pour la prendre dans ses bras, faisant mine de la remercier, tout en la raccompagnant vers la porte. À son oreille, elle parvint à lui glisser : « Nous t'expliquerons plus tard, en attendant demeure sur tes gardes et va retrouver Audric, il a besoin de soutien. À bientôt, chère Naïs. »

Les jumeaux et Marélie se retrouvèrent seuls avec la superviseuse qui demeurait résolument à leurs côtés. Pendant toute la matinée, ils effectuèrent leurs tâches quotidiennes. Marélie eut droit à un congé, pour sa plus grande joie, puisque aucun des jumeaux ne pouvait quitter le logis pour l'accompagner à ses cours de natation ou à l'école.

Abrial parvint enfin à passer un papier à sa sœur. Elle s'empressa d'aller le lire dans les toilettes, le seul lieu où l'hologramme ne pouvait l'accompagner, fort heureusement.

« Tiens-toi prête, nous allons nous enfuir à midi. »

— Jeune Abrial, réfléchissez aux conséquences de vos gestes ! l'avertit l'hologramme. Si vous passez cette porte, vous aggravez votre cas. N'entraînez pas notre chère Marélie dans votre sillage. Cette pauvre enfant a besoin de son frère et de sa sœur...

— Madame Gloguen, je vous remercie de l'intérêt que vous portez à notre jeune sœur, mais nous ne resterons pas là les bras croisés à attendre la sentence de Poséidon, alors que nous n'avons rien fait de mal, répliqua Abrial.

Puis le garçon prit sa jeune sœur dans ses bras et poussa doucement Vaiata vers la sortie. Les Cornwall prirent aussitôt la direction du logis d'Audric, chez qui ils débarquèrent sans prendre le temps de sonner.

— J'étais certain que c'était ce que tu allais faire, s'écria leur ami en les apercevant dans l'entrée. Nous sommes prêts, et Naïs aussi.

Il désigna ses deux jeunes frères et la jeune fille qui se tenait derrière lui.

L'hologramme de Mᵐᵉ Robert, la nounou des Copper, ne cessait de parler, interdisant à la famille d'Audric de franchir la porte. Mais personne ne semblait lui prêter attention. D'ailleurs, comment aurait-elle pu les arrêter puisqu'elle n'était qu'un hologramme ?

Ils sortirent rapidement du logis pour s'élancer au pas de course vers la bibliothèque. Plusieurs jeunes se retournèrent sur leur passage, intrigués par la situation et l'impression d'énervement qui émanait du groupe.

— Et Âdvèl ? cria Naïs.

— Nous n'avons pas le temps de le prévenir... Et puis, je ne suis pas sûr qu'il accepterait de nous suivre, conclut Abrial.

— As-tu un plan ? cria Audric dans la foulée.

— Nous allons reprendre le monorail en sens inverse jusqu'à la salle de plongée. Une fois là-bas, nous vérifierons si tu trouves toujours aussi simples les procédés de mise à l'eau d'un des sous-marins!

Ils atteignirent rapidement la bibliothèque, descendirent les marches de marbre noir pour se retrouver devant le mur de pierre rouge veiné. Abrial, Vaiata et Audric comprirent qu'un obstacle de taille les attendait. Comment faire réapparaître la porte?

— Zut! Comment allons-nous faire? demanda Vaiata.

— Il doit y avoir un moyen, peut-être un bouton... Cherchons, proposa Abrial.

Les cinq adolescents, aidés des plus jeunes, tâtèrent le mur avec empressement, à la recherche d'une encoche ou de quelque chose en lien avec un système d'ouverture. Malheureusement, leurs mains ne rencontraient que la surface lisse et froide de la pierre.

— Rien! Nous ne trouvons rien. Pourtant cette porte doit dépendre d'un mécanisme quelconque. Elle n'apparaît pas et ne disparaît pas par magie... murmura Abrial en s'adressant aux plus vieux du groupe. Les trois plus jeunes s'étaient éloignés pour s'asseoir sur les marches.

— Elle doit se dévoiler lorsque le monorail est en approche. Mais d'ici, de l'extérieur, il doit effectivement exister un moyen de la faire apparaître, réfléchissait Audric à voix haute.

— Les hologrammes en possèdent sûrement la clé, suggéra Naïs, qui ne comprenait pas trop comment une porte pouvait apparaître et disparaître, mais qui jugeait que ce n'était ni le temps ni le lieu de demander des éclaircissements.

Elle s'en remettait totalement à ses amis. D'ailleurs, l'attitude étrange des superviseurs lui confirmait bien qu'il se passait quelque chose d'important.

— Oui, assurément... Eux savent comment ouvrir cette satanée porte... Zut ! répondit Abrial, le ton légèrement exacerbé. Nous n'allons pas rester comme ça sans rien faire... À attendre qu'ils se montrent...

— Et par une autre porte ? suggéra Vaiata. Sur le plan que nous avons vu, on a découvert qu'il en existe trois autres... Il y a celle que nous avons empruntée hier soir, mais je crois qu'il est préférable de l'éviter, dit-elle en désignant du menton les trois enfants qui jouaient ensemble et qui ne pourraient bien évidemment pas nager une vingtaine de minutes sous l'eau. Surtout, si ce à quoi je pense est encore là !

Audric la regarda terrorisé, elle lui serra la main.

— Non, pas par celle-là, souffla doucement Audric avec une grimace.

— La deuxième se trouve dans les Communs, continua Vaiata.

— Oui, mais où? La bâtisse est énorme et les lieux sont gigantesques, jamais nous ne parviendrons à trouver cette porte avant ce soir, rétorqua Abrial.

— Il reste celle des Eaux Troubles. La porte de l'ouest, commenta Audric. Elle doit se trouver dans le parc des vestiges anciens...

— L'endroit est moins vaste... Mais comment retrouver cette entrée? Et si, comme ici, il faut faire apparaître une porte, nous ne serons pas plus avancés! réfléchit Vaiata à voix haute.

— Nous n'avons pas d'autre choix Vaiata, concéda Abrial.

— D'accord, allons-y!

— Si jamais nous ne parvenons pas à fuir par une des portes, nous devrons passer par la Montagne Sacrée, lança Abrial, en entraînant tout le groupe en dehors de la bibliothèque.

Une vingtaine de minutes plus tard, ils se retrouvèrent devant la porte grillagée du parc des vestiges anciens, à la grande joie de Marélie qui rêvait de découvrir ces lieux depuis si longtemps. Ils pénétrèrent dans le parc, mais aussitôt un superviseur se matérialisa devant eux.

— Aucun enfant de moins de quatorze ans n'est autorisé à pénétrer dans ces lieux.

Sans répondre et faisant fi de l'interdiction, les jeunes poursuivirent leur trajet sous le regard outragé de l'hologramme, qui ne cessait de les rappeler en leur répétant conti-nuellement les interdictions en vigueur.

— Nous avons enfreint tellement de lois depuis vingt-quatre heures, une de plus... rétor-qua Abrial sous le regard inquiet de Naïs.

— Que chercher et où? questionna Vaiata, en examinant les lieux autour d'elle.

— Nous devons trouver un endroit assez grand pour contenir un hangar, suggéra Audric. Par exemple ce mausolée ancien. Il me semble que sa taille est parfaite pour cacher un monorail...

— D'accord! Nous allons nous séparer, ça ira plus vite, suggéra Abrial.

Ils arpentèrent ainsi le parc pendant plusieurs minutes, et c'est la petite voix de Marélie qui leur signala qu'elle venait de trouver quelque chose. Vaiata arriva la première, tandis que sa jeune sœur lui désignait d'un geste de la main l'entrée d'un petit temple.

— Regarde, Vaiata! Il y a une porte et dessus, un étrange dessin, annonçait la gamine de sa petite voix claire, visiblement excitée par les événements de la journée.

Vaiata passa sa main sur le blason qu'elle reconnut aussitôt. Un sourire se dessina sur ses lèvres.

— Ici, nous avons trouvé! cria-t-elle à l'in-tention des autres, qui vinrent aussitôt les re-joindre. Audric et Abrial reconnurent également l'écu. Sa présence confirmait le double rôle de ce petit temple : il cachait bien un accès au monorail.

Conjuguant leur efforts, ils poussèrent sur la lourde porte de pierre qui lentement, centimètre par centimètre, se mit à pivoter sur elle-même dans un boucan effroyable.

— Il doit sûrement y avoir un moyen plus facile de l'ouvrir, mais nous n'avons pas le temps de le chercher, lança Abrial qui, déjà, descendait les premières marches.

Ils le suivirent quelques minutes dans le noir. Audric fermait la marche. Les plus jeunes se serraient contre les plus âgés, visiblement impressionnés et effrayés par la noirceur des lieux. Vingt-cinq marches les menèrent jusqu'à une autre porte qu'ils durent également faire pivoter en déployant toute leur force. Abrial passa la tête le premier, heureux de découvrir la réplique du hangar par lequel ils étaient arrivés le matin même.

— Nous y sommes ! lança-t-il aux autres. Allons-y, ne perdons pas de temps !

Les cinq adolescents prirent place dans la navette, suivis de près par les plus jeunes. La faible lumière qui provenait des trottoirs, l'excentricité des lieux et la nervosité palpable des plus vieux déclenchèrent un flot de larmes chez les deux frères d'Audric.

— Nous allons faire un tour de manège! lança-t-il pour tenter de les calmer. Tenez-vous bien, car vous n'avez encore jamais été aussi vite, mais ne vous inquiétez pas, nous sommes là. D'accord?

Les deux gamins opinèrent de la tête, même s'ils n'étaient pas plus rassurés.

Abrial prit l'un des garçons sur ses genoux, Audric l'autre, pendant que Vaiata serrait dans ses bras la taille minuscule de sa petite sœur. Naïs regardait autour d'elle nerveusement.

— Êtes-vous prêts, car nous allons partir, s'enquit Audric qui déjà posait son index sur le seul et unique bouton du petit tableau de bord. Allez, on y va!

La navette fut propulsée aussi vite que la première fois. Les deux gamins hurlaient de peur, tandis que Marélie, elle, riait d'excitation.

La suite des événements s'enchaîna très rapidement. Une fois arrivé à la salle de plongée, Audric activa l'ouverture d'un des sous-marins raie manta, sous le regard totalement ahuri de Naïs, des deux garçons et de Marélie. Immédiatement, ils s'engouffrèrent dans l'engin.

— Que tout le monde s'assoie et s'attache! ordonna Audric, pendant qu'il se dirigeait vers le tableau de bord du sous-marin, où il prit le siège de pilotage. Il scruta attentivement quelques cadrans, avant de lever ses yeux bruns pour regarder par le large hublot. Il posa son doigt sur un bouton en tournant la tête vers la porte d'entrée, avant de le pousser. Comme par enchantement, la porte disparut complètement, laissant la paroi métallique lisse et uniforme. Il s'agissait du même principe d'ouverture que celui du sanctuaire.

Audric jeta un coup d'œil à Vaiata qui lui fit signe que tout le monde était installé; il regarda également Abrial qui lui lança:

— Nous ne pouvons plus reculer... allons-y!

Le garçon jeta un dernier regard à l'extérieur de l'engin et il vit l'hologramme de Mme Gloguen qui fixait le sous-marin, sans bouger, visiblement consciente de son impuissance à retenir les jeunes.

Il ne dit rien et poussa l'une des deux manettes qui se trouvaient devant lui. Aussitôt la raie manta bascula vers l'avant, sous les cris d'Erin et de Cyricus, les deux frères d'Audric, et les applaudissement de Marélie, puis elle glissa doucement par le sas de plongée pour tomber dans l'eau.

Sans que l'adolescent ait rien à faire de plus, elle se positionna d'elle-même, pour aussitôt s'éloigner de son aire de lancement. Audric comprit que la raie manta était sous pilotage automatique et qu'elle serpentait entre les rochers et les coraux sans son intervention. Il jeta un regard inquiet à ses frères, puis à ses amis. Où la raie manta les conduisait-elle ?

À suivre...

PERSONNAGES

Ingenua : femme libre, en latin.
Vindico aliquem in libertatem : expression latine se traduisant par « rendre à quelqu'un sa liberté ».

Des noms prédestinés et inspirants
Pour écrire cette trilogie, j'ai choisi volontairement des noms ayant certains liens avec l'eau et la mer, ou alors des noms en résonance avec le caractère du personnage :

Abrial : d'origine méridionale, signifie « né en avril ».

Adria (sœur de Coralie) : vient de la mer Adriatique ; d'origine arabe, signifie « pureté et amour ».

Alizée (mère d'Audric) : féminin d'alizé, nom d'un vent soufflant de l'Est, sur la partie orientale du Pacifique.

Audric : d'origine germanique, se traduit par « audacieux et puissant ».

Ausias (remporte la Palme d'orichalque) : d'origine biblique, Ozias.

Ava (mère de Vaiata et d'Abrial) : d'origine hébraïque, se traduit par « je désire ».

Âvdèl (ami des enfants Cornwall) : d'origine hébraïque, se traduit par « serviteur de Dieu ».

Brayan (Capitaine de la Garde) : d'origine celte, signifie « noblesse, élévation ».

Coralie (amie de Vaiata) : d'origine anglaise, « fille de la mer », ou celte, « amie ». Pourrait également venir du mot « corail » en anglais, *coral*.

Cyricus : d'origine latine, signifie « trois saints ».

Erin : d'origine gaélique, se traduit par « fertile ».

Erwan (père de Naïs) : forme bretonne de Yves, d'origine germanique.

Gloguen (Mme, la superviseuse) : d'origine bretonne, signifie « à la peau brillante, satinée ».

Gwen (principal compétiteur de Vaiata) : d'origine celte, signifie « blanc, pureté ».

Maïa (sœur de Coralie) : d'origine hébraïque, signifie « chère, aimée ».

Marélie : signifie « marée ».

Mari (fille de Brayan McCord) : d'origine bretonne, signifie « mer ».

Marine (mère de Naïs) : d'origine française, féminin de marin.

Mia (mère de Mari) : d'origine hébraïque, signifie « chère, aimée ».

Naïs : signifie « nymphe des fontaines ». Son nom aurait également des origines hébraïques signifiant « grâce ».

Liam (père d'Audric) : diminutif de William, nom écossais.

Océane (amie de Vaiata) : mot d'origine française, féminin d'océan.

Ronan : vient du gaélique *ronàn*, qui veut dire « phoque ».

Théo : d'origine grecque, vient de *theos* « dieu ».

Vaiata : d'origine tahitienne, signifie « eau des nuages ».

LEXIQUE

Agar-agar : gelée obtenue à partir d'algues, et utilisée en cuisine et en bactériologie pour fabriquer les géloses.

Aven : cavité naturelle.

Bénitier : mollusque lamellibranche qui peut atteindre jusqu'à 120 cm de circonférence, utilisé autrefois comme bénitier dans les églises.

Cheveux de mer (*Enteromorpha sp.*) : algues ressemblant à la laitue de mer. Les cheveux de mer, très fins et d'un vert clair, mesurent une vingtaine de centimètres. Ces algues comestibles doivent être cuites avant consommation. Elles sont, dans certains pays, fréquemment utilisées en cuisine.

Chlorelle (*Chlorella pyrenoidosa* et *Chlorella vulgaris*) : microalgue d'eau douce, comme la spiruline. Excellente pour la santé, c'est l'une des algues les plus consommées du monde.

Coussin de belle-mère : étoile de mer qui se nourrit de récif corallien, et dont les piquants sont venimeux. Ceux-ci pénètrent dans la peau et se cassent, rendant difficile la tâche de les extraire. Leur venin cause des inflammations douloureuses qui peuvent durer plusieurs jours.

Criste-marine (*Crithmum maritimum*) : petite algue d'un vert grisâtre dont on récolte les jeunes pousses. Consommée en Europe, elle a eu, dans le passé, une place importante dans l'alimentation des habitants des villes côtières de la Bretagne. C'est une des seules algues à produire une fleur, et son goût se distingue par sa saveur anisée.

Critias : grec ancien qui veut dire Atlantide.

Haricot de mer (*Himanthalia elongata*) : algue qui ressemble aux haricots terrestres, mais plus plate. Elle peut atteindre dix mètres de longueur. Elle se cuisine comme les haricots et offre un léger goût sucré. Très consommée en Europe.

Hijiki (*Hizikia fusiforme*) : algue extrêmement riche en minéraux et en oligoéléments. Pour être comestible, l'hijiki doit cuire préalablement quatre heures avant de subir un temps de séchage. Fine et longiligne, cette algue ressemble à un spaghetti, mais n'en possède pas le goût!

Licorne de mer: narval, que les Atlantes connaissent sous ce nom mythique. Ce cétacé pourtant bien réel fait partie de l'imaginaire des îliens. Il ne vit pas dans les régions tempérées où se situe l'Atlantide, mais uniquement dans les régions polaires. Les Atlantes n'en ont donc jamais vu, ce qui en fait un animal de contes.

Limande: poisson plat, commun, vivant dans les eaux européennes, souvent confondu avec la plie.

Plancton: ensemble des êtres microscopiques qui flottent dans l'eau.

Sashimis: poisson cru composant l'alimentation traditionnelle des Japonais.

Varech (*Fucus vesiculosis*): algue que l'on trouve plus souvent dans les mers froides et qui est très appréciée des Asiatiques.

Achevé d'imprimer au Canada par
Marquis Imprimeur Inc.